JN274930

はじめに

　本書はモーターを組み込むエンジニアを対象として，モーターの設計でなく，制御でもない，モーターのハードウェアについて解説したものである．本書はモーターを組み込むエンジニアにモーターの工学的な知見と技術を深めてもらうことを目的としている．組込み用モーターとは，主に中小容量のモーターである．そこで，本書は数 10 kW 以下のモーターについての技術を中心に書いている．

　21 世紀になってモーターは進化した．20 世紀のモーターとまったく別のものになっているといってもいい．50 年前にはモーターを使った家電が三種の神器の二つを占めていた．三種の神器とは洗濯機，冷蔵庫および白黒テレビである．この三種がそろっているのが家庭の文化を示すといわれた．つまり，モーターは家庭内に 2 台である．その後，テープレコーダーやビデオが普及し，家庭の中でのモーターの数がどんどん増えていった．現在ではモーターがどこにあり，どうやって使われているのかわからなくなっている．いまやモーターはとくに意識することなく，われわれの生活ではあたりまえの存在になっている．

　20 世紀の最後にモーターには大きな変化があった．それは三つの大きな技術の進歩によるものである．すなわちネオジム磁石の発明，IGBT の実用化，そしてコンピュータの急激な進歩である．強力なネオジム磁石が実用化されたのでモーターは小さくなった．そればかりでなく，扁平なモーターや細長いモーターなどが次々に実現した．それに歩調を合わせるように IGBT が実用化され，性能が年々向上した．IGBT によりモーターの電流が自由自在に制御できるようになった．また，21 世紀にかけて制御用コンピュータの性能が飛躍的に進歩した．これはパソコンが目覚ましく高性能化したことでわかると思う．これにより組込みコンピュータでモーターの高度な制御が自由にできるようになった．これらの三つの技術の進歩によりモーターが大きく変化し，まさに進化を遂げたのである．

　ここで，身近なところでのモーターの進化の例をいくつか見てみよう．

はじめに

(1) **機械室レスエレベータ**
地下鉄で地下1階の改札から地下2階のホームへ通じるエレベータがある．これはモーターの進化により実現したのである．従来，エレベータは屋上にモーターや減速機を収める機械室が必要であった．つまり，地下に設置しようとすると地上に機械室が必要となる．モーターの進化により，エレベータのトンネル内に収納できるような小型のモーターが実現した．しかも減速機なしのダイレクトドライブでの制御が可能になった．そのため屋上の機械室が不要になり，地下から地下へのエレベータが実現したのである．

(2) **家庭用ドラム型洗濯機**
ドラム式洗濯機はわが国ではなかなか広まらなかった．コインランドリーでしか見かけない洗濯機であった．従来のモーターでドラム式洗濯機を実現しようとすると日本の建築で標準とされているいわゆる公団サイズの洗濯機パンに収まる寸法にはできなかった．減速機が不要なダイレクトドライブ可能でかつ薄型のモーターが実現できたことにより日本の住宅にも設置可能なドラム式洗濯機が実現したのである．

(3) **水道ポンプ**
高層住宅の屋上の水タンクが消えたことをみなさんは気がついているであろうか．高層住宅では屋上に水タンクを設置し，高さによる水圧で水道を供給していた．近年は常時ポンプを動作させ，水圧の制御をしている．そのため水タンクは屋上に設置する必要がなくなった．水の使用に応じてポンプを直接制御している．そのため，機械室レスエレベータとあわせてビルの屋上がすっきりしたのである．

モーターの進化によりモーターの使い方も変わってきた．従来は市販のモーターを購入して，軸を継手でつないでモーターを利用していた．また市販のモーターには市販のインバータなどの制御装置を追加して制御していた．しかし現在では多くのモーターは外から見えず，機器の内部に組み込まれている．また，既存のモーターを利用するのではなく，用途に合わせて設計されたモーターが使われている．極端な例ではビルトインモーターとよばれるものがある．これは回転子と固定子のみで構成され，二つの部品をあわせてモーターとよばれている．モーターだけでは回転しない．機械に組み込まないと回転させることができないのである．また，ある特定の機器に専用のモーターはそのモーター専用の制御装置と組み合わせないと回転しないことが多い．

はじめに

　そのような組込み用モーターの増加にともない，モーターを特注したり，ビルトインモーターの形で購入したりして自分の担当する機器に組み込むエンジニアも増えてきていると思われる．その場合，モーターについてある程度の理解が必要となる．このような組込用モーターを使う場合，最終製品の製造物責任と言う観点からも組み込んだモーターへのより一層の理解が必要である．

　本書では電動機とよばず，あえてモーターとよんでいる．電動機というと工場に据え付けられた産業用のどっしりしたものというイメージがある．ここでモーターとよんでいるのは家電品や自動車に内蔵されているモーターであり，駅のエスカレータなどの身近な機械を動かすモーターである．あるいは，電車の床下にあるモーターやコンビニの冷蔵ケースなどの音から感じるモーターである．これらのモーターの共通点は組み込まれている，ということである．モーターの姿や形ははっきり見えないが，確かにモーターが組み込まれており，使用されているのである．われわれは日々の生活でモーターを感じているのである．このような組み込み用のモーターは今後ますます増加すると思われる．一般の消費者がモーターを直接購入することはほとんどないが，しかし，組み込まれたモーターを間接的に多数購入しているのである．

　われわれは従来と同じようにモーター応用機器を使っているつもりであっても，そこに組み込まれているモーターは20年前のモーターとはまったく異なっている．

　では，モーターの技術もまったく異なるか，といえば，そうではない．モーターは電流と磁界により電気エネルギーを機械エネルギーに変換するエネルギー変換装置であり，コイルに電流を流すのが基本であることに変わりはない．

　そのようなモーターの基本について学ぼうとするとモーター，電気機器に関する書物は数限りなくある．そこにはモーターの制御や電磁気的な原理や設計に関すること，またモーターの利用法について書かれている．しかし，モーターを組み込むエンジニアは，これらの本で本当に必要な知識が得られるのか疑問に思っているのではないかと思う．モーターの知識を広げようと思うとモーターそのものだけでなく，モーターに関係する広範な多くのことを知る必要がある．

　本書によりモーターを扱うエンジニアがモーターへの工学的理解を深め，それが新たなモーターの展開につながることを期待している．

2013年2月　　　　　　　　　　　　　　　　　　　　　　　　　　著　者

目 次

はじめに i

第1章　モーター工学とは　1

1.1　モーターによるエネルギー変換 1
　　コラム：磁界と磁場 3
1.2　エネルギー制御システム 3
1.3　モーターのハードウェア 5

第2章　各種のモーターとその基礎原理　7

2.1　モーターを支配する四つの力 7
2.2　永久磁石を使ったモーター 11
　　コラム：漢字で名づけたい 12
2.3　電磁石を使ったモーター 22
2.4　鉄心を使ったモーター 24

第3章　永久磁石　29

3.1　永久磁石の基礎 29
　　コラム：餃子屋さんのキュリー点 34
3.2　永久磁石の磁気回路と動作点 35
3.3　永久磁石材料 41
　　コラム：磁石は日本の名産品 47
3.4　永久磁石回転子 48

第4章　鉄心と鉄心材料　52

4.1　磁性材料 52
4.2　電磁鋼板 57
4.3　スリットと打ち抜き 60
4.4　積　層 65

4.5 焼　鈍	67
4.6 その他の鉄心材料	68
コラム：テスラ１枚	73

第5章　巻線材料　　74

5.1 導　体	74
5.2 マグネットワイヤ	76
コラム：インバータサージはなぜ発生するのか	85
5.3 巻線の接続	86
5.4 巻線のサイズ	88
5.5 高温用巻線	90

第6章　絶縁材料と絶縁システム　　95

6.1 モーターの絶縁とは	95
6.2 耐熱クラス	97
6.3 絶縁材料	98
6.4 絶縁システム	103
コラム：真空は絶縁です	108
6.5 絶縁劣化	108

第7章　巻　線　　115

7.1 コイル	115
7.2 集中巻	117
7.3 分布巻	121
コラム：モーターはweb	126
7.4 巻線係数	126
7.5 巻線機	130
7.6 占積率	133

第8章　軸受と振動　　136

8.1 軸　受	136
8.2 バランス	143
8.3 危険速度	146

vi 目次

8.4	振動と騒音の違い	147
	コラム：耳を澄ませば	149
8.5	磁歪と電磁加振力	149
8.6	騒音とは	151

第9章 モーターの保護　　153

9.1	モーターの温度上昇	153
9.2	モーターの保護	156
	コラム：クリクソン	160
9.3	伝熱と冷却	160
9.4	漏えい電流と軸電流	163
9.5	EMC	167

第10章 モーターの試験法　　169

10.1	トルクの測定	169
	コラム：芯出し	173
10.2	効率，力率の測定	173
10.3	損失分離	177
10.4	温度の測定法	179
10.5	絶縁の測定法	180

第11章 モーターの解析法　　184

11.1	等価回路による解析	184
11.2	空間ベクトルによる解析	188
11.3	サーボシステム	190
11.4	磁界解析	191
	コラム：モーターはオームの法則に従わない	195
11.5	実際のシミュレーション	196

おわりに　　198

参考文献　　199

索　引　　201

1 モーター工学とは

電気エネルギーは私たちの生活に欠かせないものである．電気エネルギーを使って機械や物を動かすのはモーターの役割である．そのモーターがわが国の発電量の半分以上を最終的に消費している．モーターは電気エネルギーを機械エネルギーに変換するエネルギー変換を行う．モーターは電気機器とよばれ，主に電気工学の分野で扱われてきた．しかし，モーターを工学的に扱おうとすると電気工学ばかりでなく機械工学，材料工学などさまざまな分野の工学からのアプローチが必要になる．本章では，その手始めとしてモーターが行うエネルギー変換とはどんなものなのかについて述べ，エネルギーの制御について説明する．本章によりモーターを使うということの意味が理解できるであろう．

1.1 モーターによるエネルギー変換

私たちの生活の大半は，電気エネルギーを利用することで成り立っている．図 1.1 にわが国の電力の利用状況を示す．発電量の半分以上は最終的にモーターを回すことに使われている．モーターの効率が 1% 上がると発電所が何箇所も不要になるといわれるのはこういうことである．モーターの利用が大半である

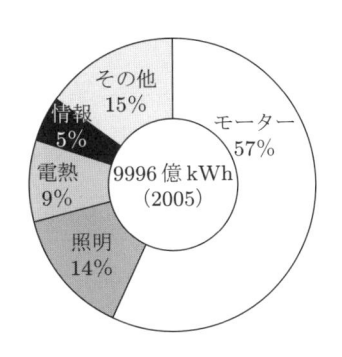

図 1.1 わが国の電力の利用の内訳

ということは，われわれの電気エネルギーの利用の半分は何らかの動きや力として利用しているということになる．

モーターは，図1.2に示すように電気エネルギーを運動や力などの機械エネルギーに変換するエネルギー変換機器である．しかもモーターは電気エネルギーをいったん磁気エネルギーに変換してエネルギー変換を行うという特徴がある．したがって，モーターは電磁エネルギー変換機器ともよばれる．

```
          モーター
 電気    ┌─────┐   機械
エネルギー →│磁気  │→ エネルギー
         │エネルギー│
         └─────┘
```

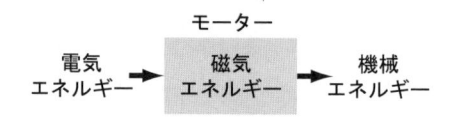

図 1.2 磁気エネルギーを介した電気–機械エネルギー変換

電気エネルギーを直接機械エネルギーに変換することはあまり行われない．電気エネルギーを直接機械エネルギーに変換しようとすると，静電力を利用することになる．つまり，クーロンの法則で説明されるような電荷の間に働く力を利用することになる．

$$F = \frac{1}{4\pi\varepsilon} \frac{Q_1 Q_2}{r^2}$$

ここで Q_1, Q_2 は電荷量，r は二つの電荷の間の距離である．このとき電荷の符号が同一であれば反発力，異なっていれば吸引力が得られる．静電エネルギーを利用すれば電気エネルギーを力という機械エネルギーに直接変換できる．しかし，電気エネルギーの形態では大きなエネルギーを扱うことが現実的にはやりにくい．

では，静電エネルギーと磁気エネルギーについて具体的に比較してみよう．真空中において，単位体積当たりに蓄えられる静電エネルギー U_e および磁気エネルギー U_m は次のように表される．

$$U_e = \frac{D^2}{2\varepsilon_0} = \frac{1}{2}\varepsilon_0 E^2$$

$$U_m = \frac{B^2}{2\mu_0}$$

この式は，静電エネルギーは電界の強さ E の2乗に比例し，磁気エネルギーは磁束密度 B の2乗に比例することを示している．磁束密度は一般的な材料を

用いた場合，1.5 T が上限である．一方，空気中では空気の絶縁耐力から電界の強さ E は 3×10^6 V/m が上限である．したがって，単位体積に蓄えられるエネルギーはそれぞれ，

$$U_{e\,\max} = \frac{1}{2} \times 8.85 \times 10^{-12} \times (3 \times 10^6)^2 \cong 40 \quad [\text{J/m}^3]$$

$$U_{m\,\max} = \frac{1.5^2}{2 \times 4\pi \times 10^{-7}} \cong 0.9 \times 10^6 \quad [\text{J/m}^3]$$

となる．したがって，両者の比は

$$\frac{U_{e\,\max}}{U_{m\,\max}} = 4.4 \times 10^{-5}$$

となる．単位体積に蓄えられることができる磁気エネルギーは静電エネルギーの 44 万倍である．したがって，静電機械は大きなエネルギーを扱う一般的なエネルギー変換には実用的ではないのである．エネルギーの小さいマイクロフォンにおける音圧エネルギーの変換や，高い電界が容易に得られるマイクロマシンでは静電モーターが利用されている．

このように磁気エネルギーは空間のエネルギー密度が高いため，モーターでは電気エネルギーの一部またはすべてを磁気エネルギーに変換し，磁気エネルギーを運動エネルギーに変換するのである．

> **COLUMN**
>
> **磁界と磁場**
>
> この二つは実は同じことを表しています．場も界も英語では field です．field とは，ある物理量が別の場所に影響を与えていること，および影響を受けている状態を表します．その状態を工学では「界」，物理学では「場」とよんでいます．
>
> 工学では「電界」，「磁界」そして「電磁界」です．物理学では「電場」「磁場」「電磁場」とよびます．慣例的にそうよんでいるのです．重力の影響を受けていることを物理学では「重力場」にある，といいますが，工学では重力界とはいいませんね．

1.2 エネルギー制御システム

モーターは，電気エネルギーを機械エネルギーに変換するエネルギー変換機である．一方，パワーエレクトロニクスは電気エネルギーの形態のまま電気エネルギーを制御する．そこで，モーターとパワーエレクトロニクスを組み合わせるこ

1　モーター工学とは

とによりエネルギーが制御できるようになる．このような場合，モーターは単なる電磁エネルギー変換機器ではなくエネルギーを制御するための機器（アクチュエータ）と考える必要がある．つまりパワーエレクトロニクスとモーターを組み合わせれば，エネルギー制御システムが実現するのである．

近年のモーターの多くは，このようなエネルギーを制御するという使い方をされている．図 1.3 に示すように，エネルギー変換制御システムには機械の状態を調節するための制御指令が与えられる．制御指令とは，たとえば機械の動きを指令する．これによりパワーエレクトロニクスは機械を動かすためにふさわしい電力の形態（電圧，周波数など）をモーターに与える．その結果，機械の動作に必要な機械エネルギーをモーターが発生し，機械が所望の動作を行う．

このように現在のモーターは単なる電磁エネルギー変換機器ではなく，パワーエレクトロニクスと密接に関係したエネルギー制御のための機器なのである．

21 世紀になりモーターの利用が拡大してきている．モーターが小型化したためエレベータやエスカレータがいろいろな場所に設置されるようになった．自動車に搭載されるモーターの数は年々増加し，高級乗用車には 200 台近くのモーターが搭載されている (図 1.4)．船舶ではエンジンで発電機を回して，電気でプロペラを駆動する電気推進船も増加している．携帯電話のバイブレーションも直径約 2 mm 以下の超小型のモーターで分銅を回して振動させている．ハイブ

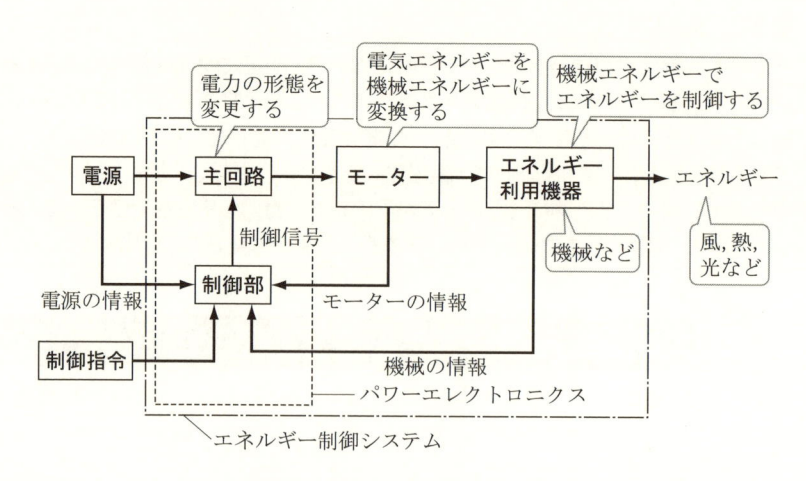

図 1.3　エネルギー制御システム

リッド自動車には従来の自動車には不要だったモーターと発電機が搭載されている．

モーターはパワーエレクトロニクスと一体になってエネルギー制御システムに進化した．今後もさらに新たな展開を広げてゆくと考えている．

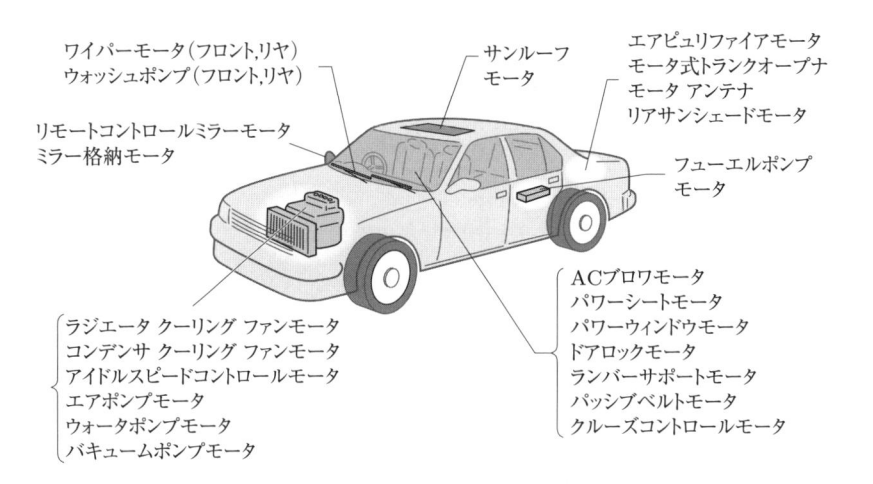

図1.4 自動車に搭載される多くのモーター

1.3 モーターのハードウェア

　モーターのしくみを電磁気学的な理論から考えてみよう．モーターは導体に電流を流し，導体と鎖交する磁束と相互作用するのが基本原理である．つまり，空間に磁束があって，導体に電流が流れていればモーターの原理は電磁気学的には成立する．しかし，実際には単純に電流と磁束だけではモーターは成立しない．

　導体は単一の導体ではなく，何回か巻かれたコイルである．コイルに電流を流すことにより大きな電流を流さなくても小さな電流が巻数により拡大され，大きな磁束が得られる．つまり，モーターの導体としてはコイルが必要である．導体をコイルとして巻くためには隣の導体との間を絶縁しなくてはならない．さらに，コイルは所定の位置に固定する必要がある．

　コイルに電流を流すことにより発生する磁束は磁気回路によって磁束の方向

を導く必要がある．磁気回路がないと磁束は最短距離でN極からS極に向かってしまう*1．通常，磁気回路は透磁率の高い鉄などで構成されている．すなわち鉄心が必要である．鉄心は必要な方向に磁束を導くと同時に，不要な方向には磁束が向かわないような形状にする必要がある．しかも鉄心は導体なのでコイルとは絶縁する必要がある．磁束と電流でトルクが発生したとすると回転子が回転できるような構造にする必要がある．つまり軸と軸受が必要である．

このように現実のモーターには電磁気学的な原理の説明には出てこない多くの構成要素が使われている．またそれらを用いたしくみがある．つまり，実際のモーターのハードウェアは電磁気学的な原理以外にたくさんの要因があるのである．このような現実のモーターのしくみを考えるには電気工学ばかりでなく，機械工学，材料工学など広い範囲の工学が必要である．これらを総合的に考えてゆこうというのがモーター工学である．

なお，本書では中小型の身近なモーターを対象としている．そのため，電動機とはよばず，モーターと表記している*2．

---

*1 英語ではnorth poleとsouth poleとよぶ．
*2 1991年に制定された旧文部省の学術用語集では電動機とよび，モータというよび方はカタカナ語の後に続くときのみ使うことになっている．

2 各種のモーターとその基礎原理

　モーターが回転する原理は，フレミングの左手の法則で説明されることが多い．しかし，これは本当であろうか．本当であって，本当ではない．フレミングの左手の法則の教えるところによれば，磁界中の導体に電流を流すと導体に力が働くとなっている．あの細い銅線に力が働いて巨大なモーターを回しているというのであろうか．銅線の力でモーターを回したら銅線はつぶれてしまうのではないだろうか．実は一部の力は導体に働くのであるが大部分の力は鉄心で発生している．本章では，そのようなモーターの基礎原理を説明するとともに，従来とやや異なる分類で各種のモーターを説明してゆく．

2.1 モーターを支配する四つの力

　モーターは電磁気現象を利用してエネルギー変換を行う．ここではモーターの基本となる四つの力について述べる．それは二つの起電力と二つの電磁力である．

2.1.1 変圧器起電力

　コイル（導体）と磁束が鎖のように互いに交差した状態にあるとき，コイルと磁界が鎖交しているという（図 2.1）．コイルと磁束が鎖交している場合，磁束の大きさが変化するとコイルに起電力が生じる．この現象を電磁誘導という．
　電磁誘導によってコイルに生じる起電力を誘導起電力という．誘導起電力の大きさは，磁束が時間的に変化する割合に比例する．これがファラデーの法則である．巻数 N のコイルと鎖交する総磁束 ψ が時間 t とともに変化したとき，電磁誘導による誘導起電力 e は次のように表される．

$$e = -\frac{d\psi}{dt} = -\frac{d(N\phi)}{dt} = -N\frac{d\phi}{dt} \quad [\text{V}]$$

ここで，ψ はコイルに鎖交する総磁束，ϕ は空間にある磁束である．負の符号

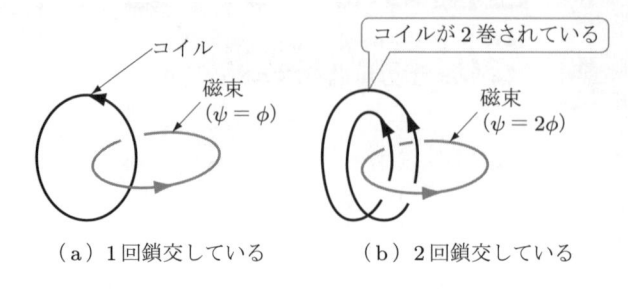

(a) 1回鎖交している　コイル　磁束 ($\psi = \phi$)

(b) 2回鎖交している　コイルが2巻されている　磁束 ($\psi = 2\phi$)

図 2.1 コイルと磁界の鎖交

は誘導起電力が磁束の変化を妨げるような電流を流す方向に発生することを表している．誘導起電力の向きを示したのがレンツの法則である．

導体（たとえば銅の板）に誘導起電力が発生すると導体の内部を電流が流れる．電流は適当な経路を流れて1周する(図2.2)．電線ではないので電流の流れる経路は定まらないが1周してループを描く．これをうず電流という．

磁束の時間的な変化により生じる誘導起電力は交流電流により発生する磁界と鎖交しているコイルには必ず発生する．変圧器は，この交流電流による誘導起電力を利用している．そこで，このような磁束の時間変化による起電力を変圧器起電力とよぶ．

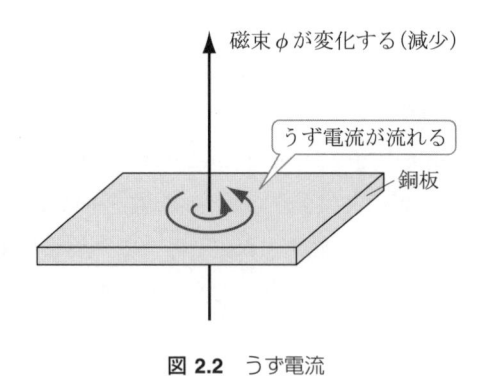

磁束ϕが変化する(減少)　うず電流が流れる　銅板

図 2.2 うず電流

2.1.2 速度起電力

導体が磁界中を運動するとき，導体に起電力が誘導される．磁束密度 B [T] の磁界中を l [m] の導体が磁束を直角に切る方向に v [m/s] の速さで運動すると

き，導体に誘導される起電力 e の大きさは次のようになる．

$$e = Blv \quad [\text{V}]$$

このときの起電力の方向は，図 2.3 に示すフレミングの右手の法則で示される．右手の親指，人差し指，中指を互いに直角になるように開き，親指を導体の運動の方向に，人差し指を磁束（磁界）の方向に向けたとき，中指の方向が起電力の方向を示す．

このように運動により誘導される起電力は運動の速度に比例するので速度起電力とよばれる．

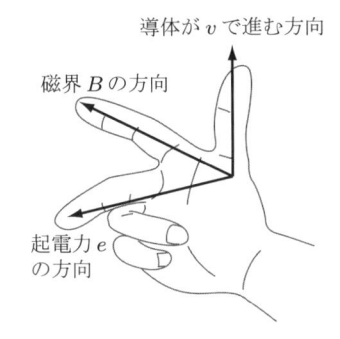

図 2.3 フレミングの右手の法則

2.1.3 電磁力

磁界中の導体に電流を流すと，導体に電磁力が働く．磁界の磁束密度を B [T]，電流を I [A] とすると電磁力 F は次のように表される．

$$F = BIl \quad [\text{N}]$$

このときの電磁力の方向は図 2.4 に示すフレミングの左手の法則で示される．左手の親指，人差し指，中指を互いに直角になるように開き，人差し指を磁界の方向に，中指を電流の方向に向けたとき，親指の方向が発生する力の方向を示す．この力は電流と磁束により発生する力なので電磁力とよぶ．ローレンツ力ともいう．

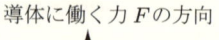

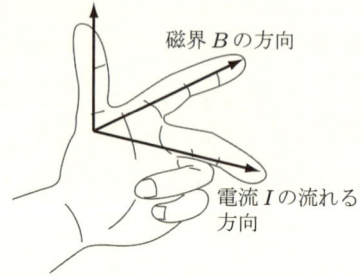

図 2.4　フレミングの左手の法則

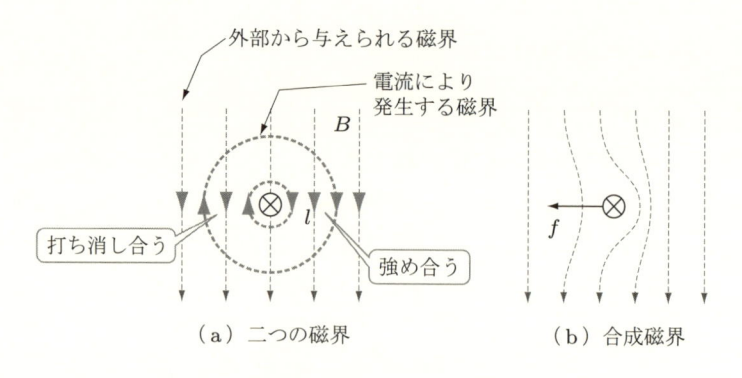

2.1.4　マクスウェル応力

　マクスウェル応力は磁束の分布により発生する電磁力である．図2.5（a）に示すように外部から与えられる磁界が直線で示されるとする．また，電流により発生する磁界は同心円状に発生する．2組の磁力線は電流の左側では互いに逆向きで打ち消し合い，右側では同じ向きなので強め合う．したがって，合成すると図2.5（b）のように右側へ膨らんで密になる．これが合成磁界である．

　このような状態になると磁力線はゴムのように働く．つまり，張力でまっすぐになろうとする力を発生する．これがマクスウェルの応力である．その結果，左向きの力が発生する．

　コアレスモーター以外では，導体は鉄心（コア）の内部に配置されている．このとき，マクスウェル応力により鉄心に力が働く．そこで，この力を鉄心トルクとよぶ．

図 2.5　マクスウェル応力

いま図 2.6 のように，比透磁率 μ_s の鉄心中に比透磁率が 1 の銅線が絶縁されて配置されているとする．つまり，銅線の透磁率は $\mu_c = \mu_0$ である．このとき電磁力 F は

$$F = BIl$$

と表される．この電磁力 F は導体に働く電磁力 F_c と鉄心に働く電磁力 F_m の合成である．したがって電磁力 F は次のように表せる．

$$F = F_c + F_m = \frac{1}{\mu_s}BIl + \left(1 - \frac{1}{\mu_s}\right)BIl$$

この式の意味するところは，電磁力は透磁率の比率で分担しており，鉄の比透磁率 μ_s がたかだか 50 だとしても，98％の電磁力は鉄心に働く F_m であることを示している．マクスウェル応力の大部分は鉄心で発生するのである．

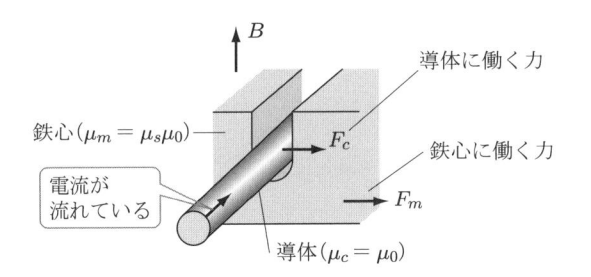

図 2.6 導体と鉄心

2.2 永久磁石を使ったモーター

永久磁石はモーターの界磁に使われる．界磁とは磁界を与える機能を指している．永久磁石は磁界を発生するが，エネルギーの授受はできない．そのため，エネルギー交換の役割を担う電機子に用いられることはない．永久磁石を使ったモーターのトルク発生は電磁力で説明できる．

永久磁石を使用したモーターには永久磁石界磁直流モーター，永久磁石同期モーター，さらに永久磁石ステッピングモーターなどがある．

> **COLUMN**
>
> **漢字で名づけたい**
>
> モーターを学術用語で表すと誘導電動機，同期電動機のように漢字表記されます．このような表し方で，ステッピングモーターは階動電動機とよばれたことがありました．名前が動作を表していてなかなかいい和訳です．ところが最近は，漢字で表すことよりそのままカタカナ語が使われることが多いです．ブラシレスモーターやリニアモーターには該当する漢字表記がありません．
>
> コンピュータは電子計算機と訳したのですが，それより後に出現したパソコンはパーソナルコンピュータというカタカナ語を短縮してしまいました．ご存じのように中国語ではコンピュータは電脳ですよね．やはり漢字を使うわが国でも名は体を表すような名称がほしいと思いませんか．

2.2.1 永久磁石界磁直流モーター

永久磁石界磁直流モーターの原理図を図 2.7 に示す．図において外側の永久磁石は静止しているので固定子である．内側のコイルは回転するようになっており，回転子である．固定子は磁界を与える界磁であり，回転子がエネルギー

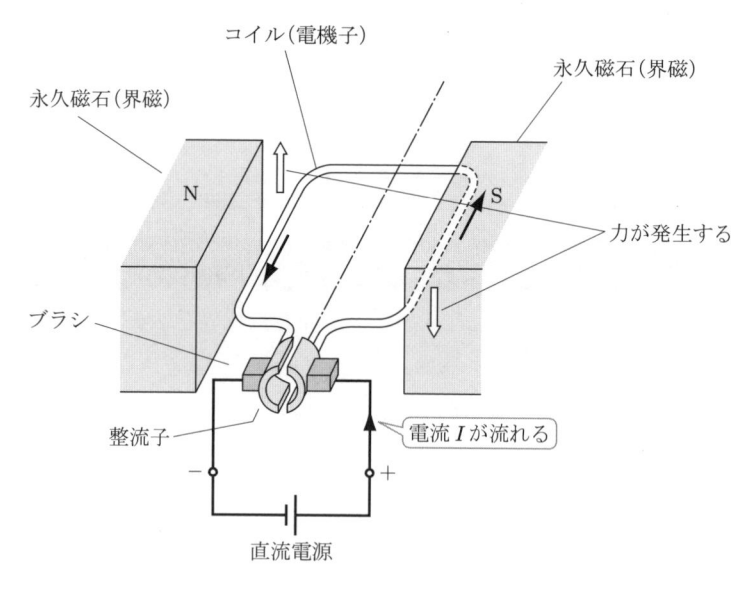

図 **2.7** 永久磁石界磁直流モーター

変換を行う電機子である．

コイルは整流子とよばれる電極に接続されており，ブラシを通して外部回路に接続されている．コイルに接続された整流子はブラシと接触しながら回転する．ブラシは静止しており電源と接続されている．回転してゆくと整流子はもう一方のブラシに接触する．したがって，回転することによりコイルを流れる電流の向きは反転する．しかし，ブラシを通して外部から供給する電流の向きは常に同一である．なお，整流子はコイルの数だけ設けられる．

このとき，発生するトルクは電機子電流に比例し，

$$T = K_T I$$

となる．ここで，K_T をトルク定数とよぶ．回転による速度起電力は

$$E = K_E \omega$$

と表される．ここで，K_E は起電力定数とよばれる．SI 単位系を用いている場合，$K_T = K_E$ であり，同一の数値である．

永久磁石直流モーターの電圧方程式は次のように表すことができる．

$$V = E + rI$$

この式を用いて等価回路を書くと図 2.8 のようになる．

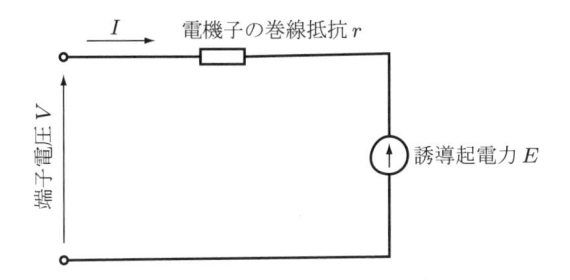

図 2.8 直流モーターの等価回路

2.2.2 永久磁石同期モーター

同期モーターは交流モーターであるが，界磁は直流磁界を使用する．永久磁石同期モーターは回転子が永久磁石の界磁であり，固定子の電機子コイルに交

流電流を流す同期モーターである．このうち電機子電流が正弦波のものを永久磁石同期モーターとよび，電機子電流が矩形波のものをブラシレスモーターとよぶ．

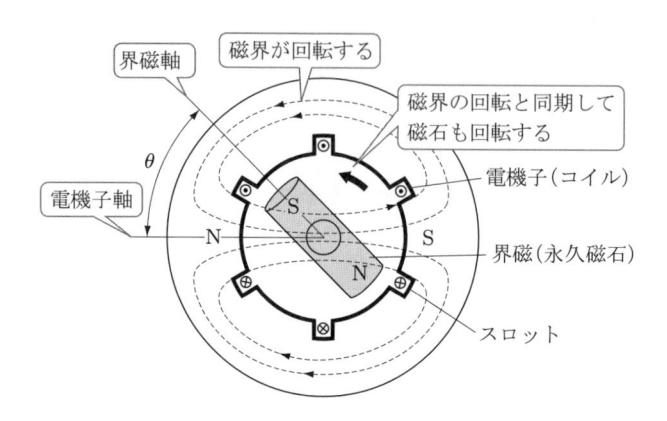

図 2.9 永久磁石同期モーターの原理

　永久磁石同期モーターの原理を図 2.9 に示す．回転子（界磁）の永久磁石の位置に対応して固定子（電機子）の巻線電流により生じる回転磁界を回転させる．図において回転磁界の N 極と S 極の最大値の位置を電機子軸（回転磁界軸）とする．界磁軸は電機子軸と θ の角度がある．この θ により特性が変わるので θ を一定あるいは望みの値に制御する．そのため永久磁石同期モーターは永久磁石（界磁）の位置により電流位相（電機子）を制御するインバータが必要である．このシステムを図 2.10 に示す．インバータは回転子の磁極位置を検出し，磁極位置に応じて電機子電流の位相を制御する．このように永久磁石同期モーターはインバータを含めたシステムとして考える必要がある．
　永久磁石同期モーターは回転子の永久磁石の配置と構造により表面磁石型 (SPM)[*1]と埋め込み磁石型 (IPM)[*2]に分類できる．図 2.11（a）に示すように SPM は鉄心の表面に永久磁石を貼り付けている．永久磁石の透磁率は真空の透磁率とほぼ同じなので永久磁石の部分は一様なエアギャップとみなせる．した

---

*1 SPM：Surface Permanent Magnet
*2 IPM：Interior Permanent Magnet

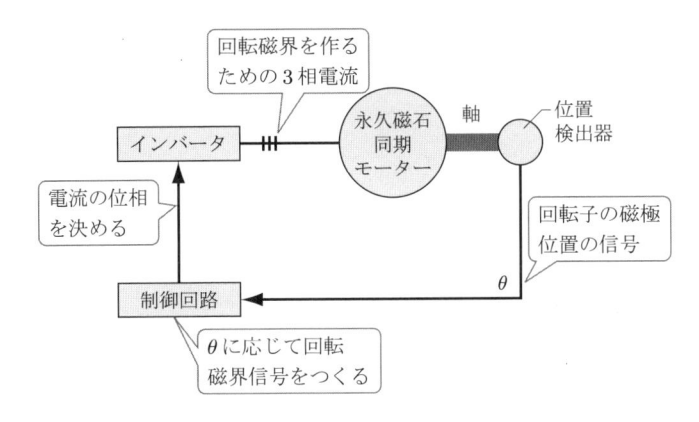

図 2.10 永久磁石同期モーターシステム

がってSPMは円筒形同期モーターとして扱われる．

一方，図2.11（b）に示すIPMは鉄心の内部に永久磁石が埋め込まれている．永久磁石は磁気的には空気とみなせるので図でd軸と示した方向は磁束が通りにくい．すなわち，この方向のインダクタンスL_dは小さい．図でq軸と示した方向は鉄心だけなので磁束が通りやすい．この方向のインダクタンスL_qは大きい．このように回転子の位置によりインダクタンスが異なる．これを突極

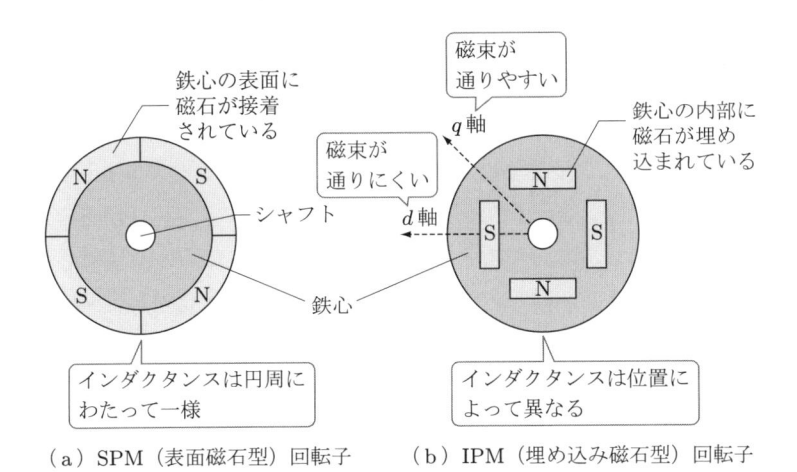

（a）SPM（表面磁石型）回転子　　（b）IPM（埋め込み磁石型）回転子

図 2.11 永久磁石同期モーターの回転子の構造

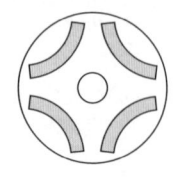

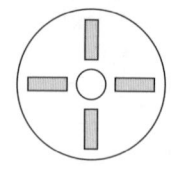

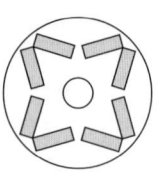

(a) 円弧状の磁石の例 　　　(b) 直方体の磁石の例

図 2.12 IPM（埋込み磁石型）の回転子構造の例

性があるという．IPM の永久磁石の配置はかなり自由に配置できる．図 2.12 にはいくつかの例を示す．IPM は永久磁石が同一形状でも永久磁石の配置により突極性が変化する．

　IPM と SPM はそれぞれの発生トルクの原理が異なる．SPM の発生トルクは電磁力，

$$F = BIl$$

で説明できる．すなわち電機子コイルに鎖交する永久磁石の磁束密度でトルクが決まる．したがって電機子と界磁の位置関係により磁束密度が変化するのでトルクも変化する．図 2.13 に永久磁石により発生するトルクを同期トルクとして示している．同期トルクは電機子軸と界磁軸がなす角 θ が 0 度のとき最大となる．これは永久磁石により発生するトルクなのでマグネットトルクともよばれる．なお SPM は円筒形でありインダクタンスは回転子の全周方向で同一である．

　IPM は永久磁石による磁束により SPM と同様に同期トルクが発生する．さらにインダクタンスが回転子の位置により異なる．つまり突極性があるので突極によりマクスウェル応力が発生する (2.4 節参照)．このトルクは鉄心トルクである．図ではリラクタンストルクとして示してある．したがって同期トルクにリラクタンストルクが加わるので IPM の発生トルクは図で示す合成トルクとなる．

　IPM, SPM を問わず，永久磁石同期モーターのトルクは次のように表される．

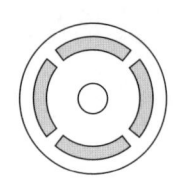

$$T = 2P\left[\psi I_a \sin\beta + \frac{1}{2}(L_d - L_q)I_a^2 \sin 2\beta\right]$$

ここで，ψ は電機子に鎖交する永久磁石の磁束，L_d は d 軸方向のインダクタン

2.2 永久磁石を使ったモーター

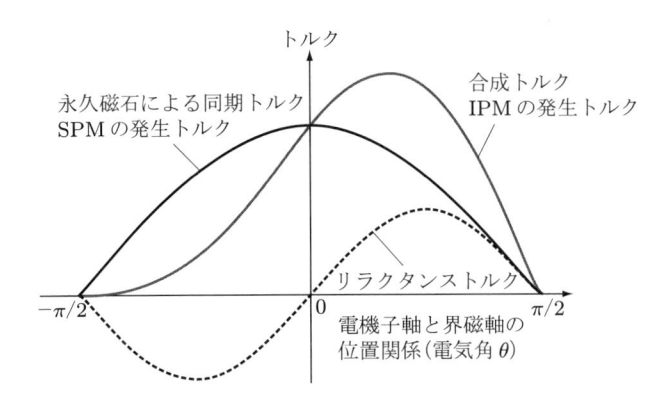

図 2.13 永久磁石同期モーターの発生トルク

ス，L_q は q 軸方向のインダクタンスである[*1]．なお，β は界磁軸と回転磁界軸（電機子電流の位相）のなす角である[*2]．SPM の場合，インダクタンスが一様な円筒形なので $L_d = L_q$ である．したがって，第 2 項はゼロとなる．IPM の場合，第 1 項と第 2 項のいずれのトルクも発生する．

ブラシレスモーターとは，直流モーターの整流子とブラシの機械的な接触をなくし，電子的にブラシと整流子の作用をさせるモーターである．したがって，ブラシレスモーターの電流は極性が次々に切り換わる矩形波である．これに対し，回転子の磁束密度分布が正弦波状で，電流も正弦波になるように制御されているのが永久磁石同期モーターである．ブラシレスモーターと永久磁石同期モーターは，ハードウェア的にはほぼ同一の構成である．モーターに対する考え方（ソフトウェア）が異なると考えるべきである．

ブラシレスモーターの原理を図 2.14 に示す．回転子が永久磁石であり，界磁となって回転する．電機子コイル 1，2 に流れる電流を図のような向きに流す．フレミングの左手の法則で回転子の永久磁石に矢印の方向の力が発生するので回転子は反時計方向に回転する．

ただし，磁石が回転するので，電機子の近くにある磁極の N，S の極性が回転により変化してしまう．回転子の磁極の極性に対応するように電流の向きを変

[*1] この場合 $L_d < L_q$ であり，正確には逆突極性である．一般的な突極同期機の場合は $L_d > L_q$ となり，異なることに注意を要する．

[*2] 前述の θ とは $\theta = 90° + \beta$ の関係がある．

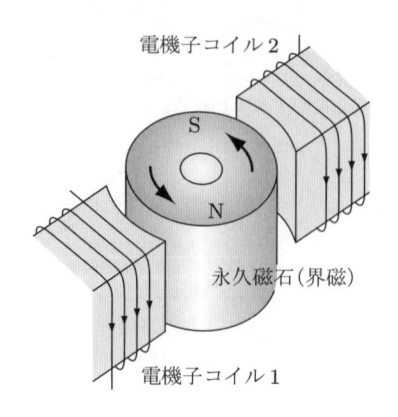

図 2.14 ブラシレスモーターの原理

更しないと回転が継続しない．このため磁極のN，Sの位置を検出して，回転子の永久磁石の磁極の極性に応じて電流の方向を切り換えて回転を継続する．

電流の切り換えの様子を直流モーターと対応して図 2.15 に示す．上段は直流モーターでブラシと整流子により回転子を流れる電機子電流の方向が切り換わ

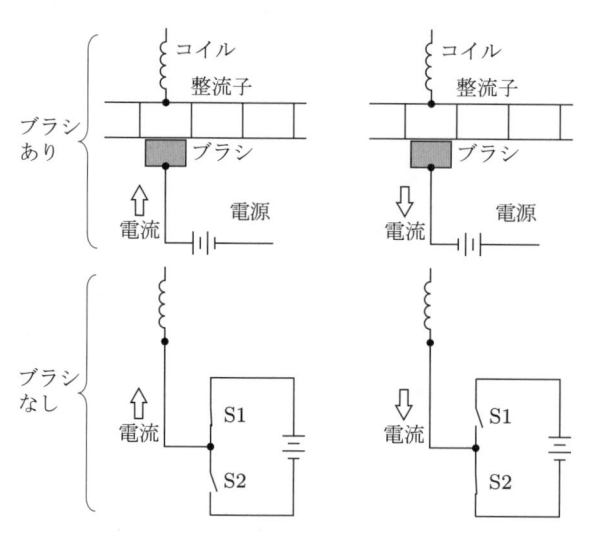

（a）電源のプラスに接続　　（b）電源のマイナスに接続

図 2.15 ブラシの転流作用のスイッチの置き換え

ことを示している．下段は同じ動作がスイッチの切り換えで固定子を流れる電機子電流の極性を切り替えることによりできることを示している．図 2.15 のようにスイッチ S1, S2 を結線して交互にオンオフする．図 (a) はコイルが電源の + に接続されるため，コイルに向けて電流が流れる．図 (b) は (−) に接続されるためコイルから電流が流出する．このような操作を回転子の永久磁石の極性に応じて行うのでブラシと整流子の作用をスイッチで行うことになる．

　磁極の検出はホール素子，磁気飽和素子などの磁気センサや光を位置により遮断して検出する光学的センサが使われる．モーター本体にこのような位置検出装置を内蔵している．

　このような電子的な切り換え装置を含めたシステムをブラシレスモーターとよぶのである．システムとして考えるとブラシレスモーターの特性はブラシ付の永久磁石直流モーターと同等と考えることができる．つまり，ブラシレスモーターシステムは外部から見ると永久磁石方式の直流モーターと同じものと考えることができる．したがって，永久磁石直流モーターの特性式がそのまま使える．

　実際のブラシレスモーターの発生するトルクを図 2.16 に示す．ここでは電機子コイルは 3 相コイルとしている．スイッチの切り換えによりコイルを電源の + または − に接続する．スイッチを正負に切り換えてもコイルのインダクタンスによる過渡現象により電流の立ち上がりが遅れる．発生トルクは $T = K_T I$ なので発生トルクは電流に比例する．したがって，トルクの立ち上がりも遅れる．軸で発生するトルクは 3 相分の発生トルクの合計である．発生トルクは 1 相で発生するトルクの 2 倍の大きさである．ただし，電流の立ち上がりの遅れにより 1 周期で 6 回トルクのくぼみができる．ブラシレスモーターは，本質的に回転周波数の 6 倍の周波数でトルクが脈動するのである．

2　各種のモーターとその基礎原理

電圧　＋側へ接続すると電圧は（＋）になる　スイッチの（＋）（−）の切り換え

電流　インダクタンスの過渡現象により電流はゆっくり立ち上がる　I　電機子コイル1相分の電流

トルク　トルクは$K_T I$なのでゆっくり立ち上がる　1相分のコイルの発生するトルク

他の2相の発生トルク

3相で発生するトルク

合成トルク
3相の発生するトルク

1周期で6回脈動

1相で発生するトルクの2倍

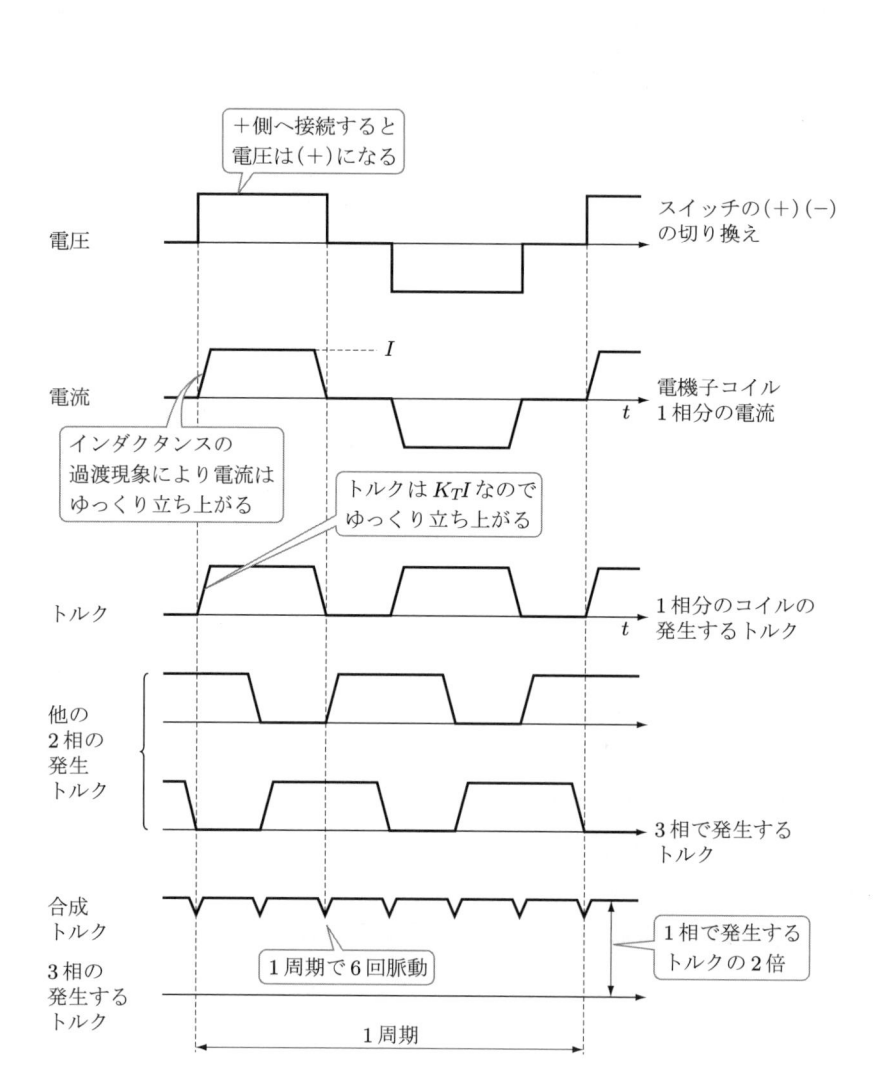

1周期

図 2.16　ブラシレスモーターの発生トルク

2.2 永久磁石を使ったモーター

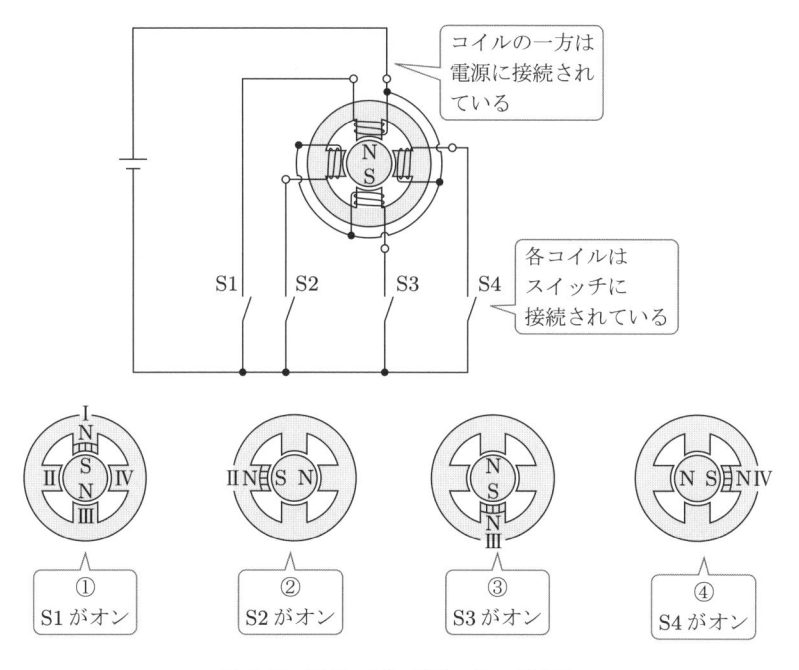

■ 2.2.3 PM型ステッピングモーター

ステッピングモーターは，パルス電流により一定角度だけ回転するモーターである．駆動回路にパルスを入力するごとに1ステップずつ回転する．回転角度は入力するパルス数で決まり，回転の速さ（回転数）はパルスの周波数に比例する．パルスで動作するためディジタル制御しやすい．しかもパルスが入力しない間はその位置を保持できる．このような動作をするステッピングモーターはトルクの発生原理で分類すると同期モーターの一種と考えられる．

ステッピングモーターの原理を図2.17を用いて説明する．図に示したステッピングモーターの回転子は円筒形の永久磁石である．固定子には4個のコイルがある．それぞれのコイルはスイッチに接続されている．いまS1をオンするとコイルIに電流が流れ，コイルIの磁極がN極になる方向に電流が流れる．すると回転子のS極が吸引されN，Sが対向する①の位置で安定する．次にS1をオフしてS2をオンする．コイルIIに電流が流れ，コイルIIの磁極がN極になる．す

図2.17 ステッピングモーターの原理

るとコイル1の磁極直下にあった回転子のS極が吸引され②の位置のコイル2の磁極の直下まで回転する．S3，S4と順次オンしてゆくと回転子が90°ずつ回転してゆく．このようにパルス電流を流すごとに1ステップずつ回転する．ここで示したようにスイッチをオンするごとにステップ動作するのでステッピングモーターとよばれる．パルス電流で動作するのでパルスモーターともよばれる．

このようなステッピングモーターをPM型ステッピングモーターとよぶ．PM型は回転子が永久磁石だけで構成されている．永久磁石に加えて鉄心に歯車状の磁極を設けたものをHB型とよぶ．HB型は鉄心トルクも利用している．

2.3 電磁石を使ったモーター

モーターのコイルは磁気エネルギーを介して電気エネルギーと機械エネルギーをエネルギー変換する電機子に使われる．本節で述べる電磁石という意味は電機子の機能ではなく，界磁の機能をコイル（電磁石）で実現するという意味である．電磁石を使って磁界を発生するので，トルク発生は電磁力により説明できる．

2.3.1 巻線界磁形モーター

巻線界磁をもつモーターには同期モーターと直流モーターがある．巻線界磁の同期モーターとは，前節で述べた永久磁石界磁のかわりに電磁石により界磁磁束を発生する同期モーターである．界磁のコイルには直流電流を流す．このように電磁石を界磁とした場合，界磁磁束の調節が可能である．そもそもこちらの形式のほうが歴史的には古くから存在している．しかし，近年の中小容量モーターではあまり見られない．原理，特性は永久磁石界磁同期モーターと同一である．ただし，界磁磁束が制御できることが特徴である．実際には回転子の電磁石に電流を流すためのブラシが必要である．

巻線界磁の直流モーターは界磁が永久磁石でなく，コイルである．界磁コイルと電機子コイルの接続法により直巻，分巻などに分類されている．また，界磁のみ別電源として界磁を制御する他励モーターもある．図2.18に界磁コイルと電機子コイルの各種の接続を示す．

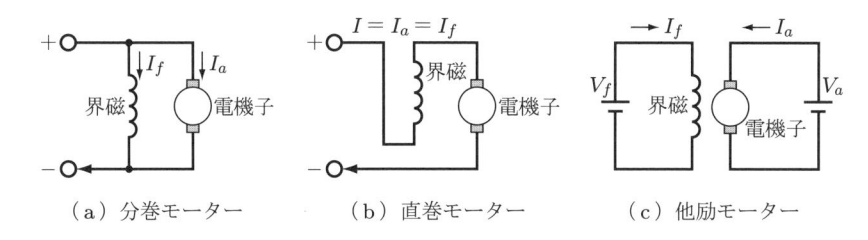

(a) 分巻モーター　　　(b) 直巻モーター　　　(c) 他励モーター

図 2.18 直流モーターの接続

2.3.2 誘導モーター

　誘導モーターの原理を図 2.19 に示す．短絡したコイルを回転磁界中に置く．このコイルは回転できるように取り付けられている．回転磁界は図のように永久磁石が回転すると考える．回転磁界は一定の回転数 n_0 [s^{-1}] で回転しているとする．このとき磁界が静止しており，相対的に導体が反対方向に $-n_0$ [s^{-1}] で回転していると考えてもよい．導体と磁界が相対的に運動しているので導体に起電力を生じる（速度起電力）．導体は短絡したコイルなので閉回路になっており，起電力によりコイルのうず電流が流れる．コイルは磁界中にあるのでコイルに力が発生する（電磁力）．これが誘導モーターの原理である．

　コイルの回転数を n_2 [s^{-1}] とする．コイルに誘導起電力が生じるためには常に $n_0 > n_2$ の状態，つまり，回転磁界のほうが速く回転している必要がある．こうすればコイルは磁界中を相対的に磁界に対して $(n_0 - n_2)$ の回転数で回転

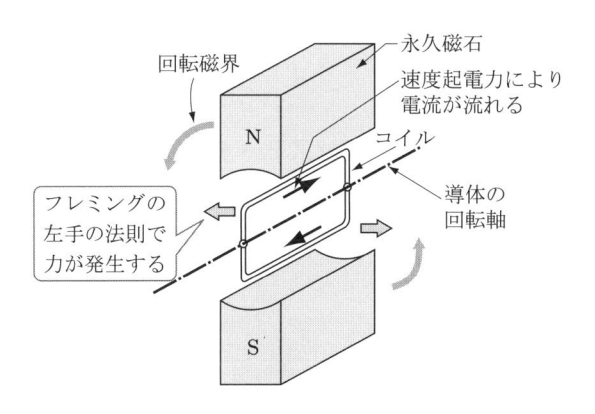

図 2.19 誘導モーターの原理

していることになる．その相対速度により誘導起電力が発生し，連続してトルクを発生する．

　中小容量の誘導モーターの回転子コイルは，かご形導体が使われる．かご形導体とはコイルを巻くことなしに，図 2.20 に示すような形状の鉄心中に図 2.21 に示すようなかご形導体が配置されている．かご形導体に流れる電流は誘導起電力により生じるものである．その周波数は回転磁界を作るためにコイルに流す電流とは異なり，すべり周波数 sf という低周波である．

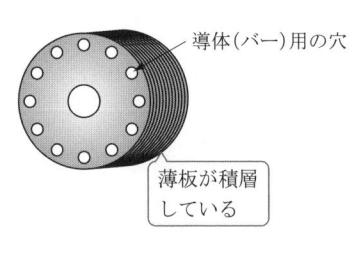

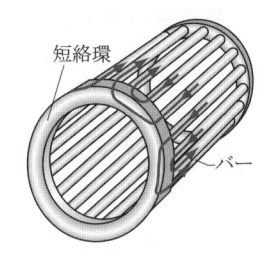

図 2.20 鉄　心　　　　**図 2.21** かご形導体を流れる電流

2.4　鉄心を使ったモーター

　鉄心を使ったモーターとは，鉄心中の磁束のマクスウェル応力によりトルクを発生するモーターである．そのためには突極性が必要である．突極性とはインダクタンスが一様でなく，場所により大小があるということである．インダクタンスが異なることは磁気抵抗（リラクタンス）が異なることになるので，突極性により発生するトルクをリラクタンストルクとよぶ．

2.4.1　シンクロナスリラクタンスモーター

　リラクタンスモーターの回転原理を図 2.22 に示す．回転子は突極形状の鉄心である．回転子に巻線はない．固定子は回転磁界と考える．いま図のように回転磁界の磁極中心と突極の中心が δ だけずれているとする．このとき，磁束は固定子の N 極から回転子の突極に向かい，回転子の反対側から回転磁界の S 極に向けて進む．このとき，図のように回転子に斜めに侵入した磁束は回転子内では回転子の磁極方向に曲がる．回転子から回転磁界の S 極に向けて出てゆく

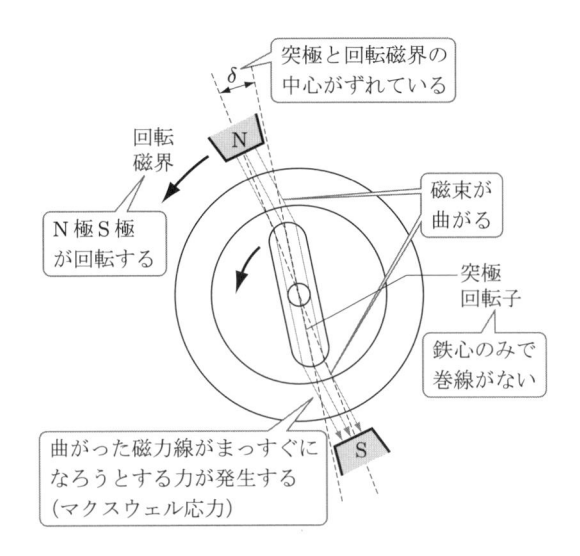

図 2.22 リラクタンスモーターの原理

ときにも曲がる.

このとき,マクスウェルの応力が発生する.曲げられた磁力線はまっすぐに最短距離を進むような方向に鉄心に力を発生する.そのため回転子が図のように時計回り方向に回転する.これが突極により発生するリラクタンストルクである.リラクタンスモーターはマクスウェル応力で回転する.

固定子に 3 相巻線をもち,正弦波状の回転磁界を利用するものをシンクロナスリラクタンスモーターとよぶ.いま,インダクタンスの最も大きい,突極中心を通る軸を d 軸,インダクタンスの最も小さい方向を q 軸とする[*1].図 2.23 に示すように回転磁界軸と d 軸の間の角度を δ とする.また,それぞれのリアクタンスを x_d, x_q とする.リラクタンスモーターの出力は次のようになる.

$$P_o = \frac{3}{2}V^2 \frac{x_d - x_q}{x_d x_q} \sin 2\delta$$

この式は $\delta = 45°$ で出力が最大であることを示している.

実際のシンクロナスリラクタンスモーターの回転子は突極性を大きくするために回転子内部にスリットを入れたりするなど種々工夫された構造が考えられ

[*1] リラクタンスモーターの場合 $x_d > x_q$ である.

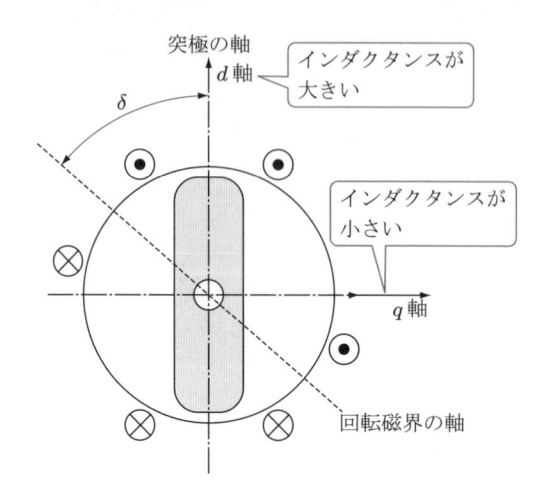

図 2.23 リラクタンスモーターの動作

ている (図 2.24).

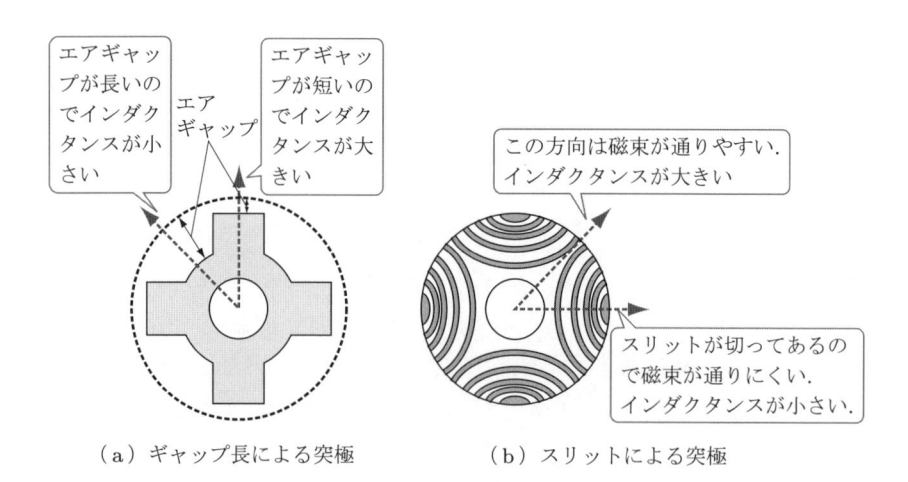

(a) ギャップ長による突極　　(b) スリットによる突極

図 2.24 リラクタンスモーターの回転子

2.4.2 スイッチトリラクタンスモーター

スイッチトリラクタンスモータ (SRM[*1]) はシンクロナスリラクタンスモーターと類似の回転子をもち，突極性によりトルクを発生する．しかし，固定子も突極構造であり，突極に直接コイルが巻かれている．しかも回転磁界を利用しない．図 2.25 を用いてトルク発生原理を説明する．両突極の相対的な位置関係により回転子磁極と固定子磁極の対向面積が異なる．図 2.25 の d 軸位置のように磁極が対向していれば鎖交磁束数が増加し，q 軸位置のように非対向位置になると低下する．磁極の相対的位置関係により鎖交磁束数が変化するので，蓄えられる磁気エネルギーも変化する．磁気エネルギーが変化するのでインダクタンスが変化する．インダクタンスの位置による変化を利用して電流を流せば次のようなトルクが得られる．

$$T = \frac{1}{2}I^2\frac{dL(\theta)}{d\theta}$$

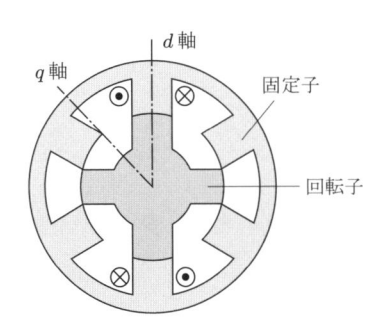

図 2.25 SRM の構造

トルク発生の様子を図 2.26 に示す．インダクタンスの増加する位置で電流を流せば正方向のトルクが発生する．インダクタンスの減少する位置で電流を流せば負方向のトルクが発生するので発電機作用をする．電流の 2 乗でトルクが決まるので，固定子コイルに流す電流は一方向でもかまわない．SRM はパワーエレクトロニクスと組み合わせて初めて回転するモーターシステムである．

ステッピングモーターでVR型とよばれるものは，スイッチトリラクタンス

[*1] Switched Reluctance Motor

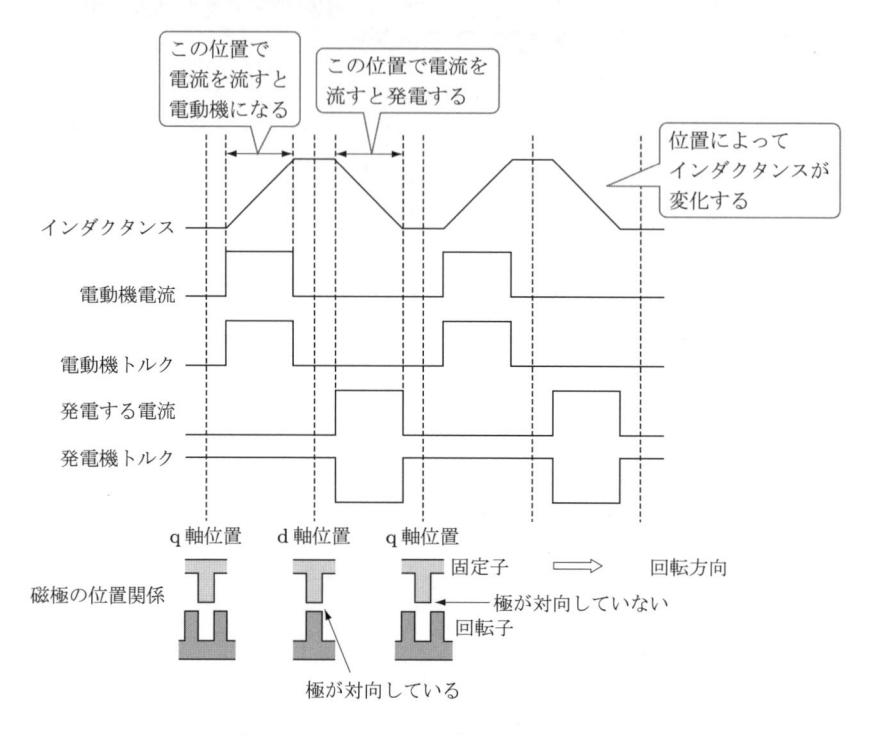

図 2.26 SRM のインダクタンスとトルク

モーターの固定子および回転子とも突極を多くしたものと考えることができる．しかし VR 型ステッピングモーターはあまり実用化されていない．

3 永久磁石

　モーターには永久磁石が使われる．みなさんも子どものころ U 字形の永久磁石で遊んだ経験があると思う．今でも冷蔵庫にメモを貼ったり，戸棚の扉のストッパーになっていたりと，永久磁石はわれわれにとって身近なものである．ところが永久磁石の基本である磁性というものを理解しようとすると，量子力学で扱う電子のスピンがでてくる．私たちが直感的に理解しやすいのはニュートン力学である．つまり，磁石を理解するのはなかなか難しいのである．そこで，本章ではまず磁性について極力わかりやすくその基本を述べる．続いて，永久磁石材料および永久磁石回転子について説明してゆく．

3.1　永久磁石の基礎

■ 3.1.1　永久磁石の磁化

　外部の磁界により磁化される物質を磁性体という．永久磁石は外部の磁界により磁化される磁性体である．磁化という現象をきちんと説明するには量子力学を使った説明が必要である．しかし，わかりやすく説明するのに分子磁石説を使うことができる．ここでは，分子磁石説により磁化について説明する．

　分子磁石説では，物質中には不規則に並んでいる分子サイズの小さな磁石が無数にあると考える．これを分子磁石とよぶ．分子磁石は自然な状態では図 3.1（a）に示すように分子磁石の向きが不規則である．そのため外部からみて磁性はない．分子磁石の外部に磁界があると，内部の分子磁石に磁化力が加わる．これによって図 3.1（b），（c）のように分子磁石が次第に一方向に規則的に配列されてゆく．これが磁化されるということである．このとき，外部の磁界を取り去っても分子磁石の配列はある程度揃ったままで残る．このとき外部に対して磁性をもつようになる．このように磁性体は外部の磁界により磁化されるのである．

3 永久磁石

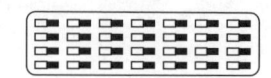

|（a）不規則に並んでいる|（b）外部の磁界により方向が揃ってくる|（c）すべての方向が同一になる|

図 3.1 分子磁石による磁化の説明

しかし，図（c）のようにすべての分子磁石が同方向に配列されてしまうとそれ以上の磁化力を加えても磁性の強さは変化しなくなる．このような状態が磁気飽和である．永久磁石の場合，外部の磁界を取り去っても図（c）に近い状態のまま磁化している．このような物質を強磁性体という．また，外部の磁界を取り去ると図（a）や図（b）に近い状態に戻り，大きな磁化を保てないものを軟磁性体という．軟磁性体はモーターの鉄心に使われる．軟磁性体については第4章で述べる．

次に磁化現象を電磁気学によって説明する．磁性体を磁界中に置くと，磁性体は磁化される．このとき，磁性体の両端には磁界方向に N 極と S 極の磁極が発生する．磁極が発生するということは永久磁石内部では N 極から S 極に向かう磁界が生じていることになる．これは外部磁界と反対方向である．この逆方向の磁界は反磁界または減磁界とよばれる．磁性体内部の磁界 H_0 は図 3.2 に示すように，外部磁界 H とそれにより生じる逆方向の磁界 H_d を合成したものになり，次のように表される．

$$H_0 = H + H_d$$

したがって，磁性体の内部の磁界は外部磁界より小さくなる．反磁界 H_d は磁性体内部の磁界 H_0 を外部磁界 H より弱めているのである．反磁界 H_d は次のように表される．

$$H_d = -\frac{N_d}{\mu_0} J$$

ここで，J は磁化とよばれる，単位は [T] で磁極の強さを表している．分極ともよばれる．また，N_d は減磁係数または反磁界係数とよばれる係数である．反磁界係数は 0 から 1 の間の係数で，磁性体が一様に磁化されているときには

3.1 永久磁石の基礎

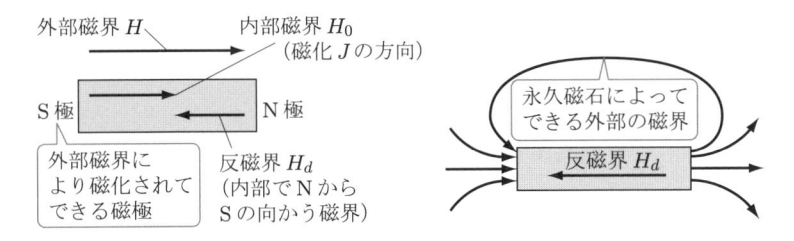

図 3.2 外部磁界による磁化

図 3.3 永久磁石内部の反磁界

形状のみにより決まる．うすい板では 1 に近く，長い棒であれば 0 に近い．球であれば 1/3 である．

次に，外部磁界を取り去った場合を考える．このとき，$H = 0$ なので，

$$H_0 = -\frac{N_d J}{\mu_0} \quad \text{または，} \quad \mu_0 H_0 = -N_d J$$

となる．残っている磁界は負なので，それまでの外部磁界 H に対して反対方向の磁界が残ることになる (図 3.3)．強磁性体とは反磁界が大きく残留する物質である．永久磁石はこの反磁界を利用するのである．なお，反磁界のことを永久磁石の起磁力とよぶ．

3.1.2 永久磁石の基本特性

一般に物質の磁気特性は磁界と磁束密度の関係で表され，B-H 曲線とよばれる．B-H 曲線を図 3.4 に示す．H は磁界の強さ（磁化力），B は磁束密度である．磁化されていない永久磁石を磁界中に置く．これは永久磁石に外部から磁化力を与えることになる．磁化力を強めてゆくと永久磁石の内部の磁束密度が高くなる．この様子を点線で示す．これを磁化曲線という．

磁化力をさらに強めると磁束密度の増加の割合が少なくなり，やがて磁化力を強めても磁束密度があまり高くならない．これを磁気飽和という．この状態から再度磁化力を弱めると，磁化力がゼロになっても磁束密度はゼロにならない．このときの磁束密度を残留磁束密度 B_r という．残留磁束密度は内部の反磁界により生じる．次に先ほどとは逆方向に磁化力をかける．磁化力に応じて徐々に磁束密度が低下する．磁束密度がゼロになる磁化力を保磁力 H_{cb} という．保磁力は磁石として機能できる外部磁界の最大値を示している．

3 永久磁石

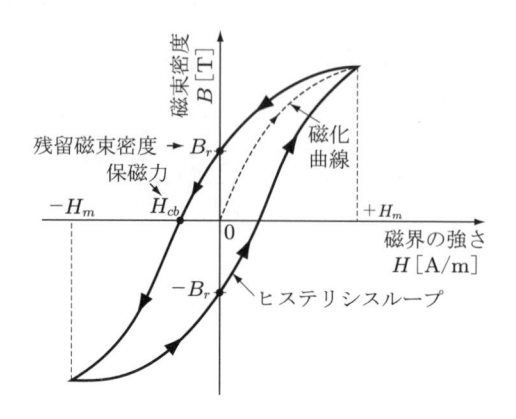

図 3.4　B-H 曲線

　さらに負の磁化力を強めてゆくとやがて磁気飽和する．そこからまた磁化力を弱めると逆極性の残留磁束密度を示す．再度，正方向の磁化力をかけると磁気飽和するまで磁束密度が上がり，元の曲線の磁束密度に戻る．このように逆方向に動くときに違う経路をとるような特性をヒステリシス特性という．

　図 3.4 の第 2 象限，すなわち，残留磁束密度 B_r と保磁力 H_{cb} の間が永久磁石として動作する領域である．この部分を磁石の減磁曲線という．しかしながら磁石の場合，磁束密度を使った B-H 曲線でなく磁化を表す J-H 曲線を使うことが多い．

　J-H 曲線とは永久磁石の磁極の強さ J（単位 [T]）と磁界の強さ H の関係を表したものである．永久磁石内部における磁界と磁束密度の関係は次のように表すことができる．ここでは反磁界係数 N_d を 1 と仮定する．

$$B = J + \mu_0 H$$

ここで，J は磁化である．この式を用いれば永久磁石外部の空間では磁化がないので $J = 0$ となり，$B = \mu_0 H$ である．永久磁石内部の磁束密度は，外部磁界 H と内部の反磁界による磁化の強さ J の和になる．そこで，磁極そのものを表す J を使った J-H 曲線を用いるのである．J-H 曲線と B-H 曲線の関係を図 3.5 に示す．なお，反磁界係数 N_d は磁石の形状が要因するので，3.2 節で述べるパーミアンス係数に含まれるとして考える．

3.1 永久磁石の基礎

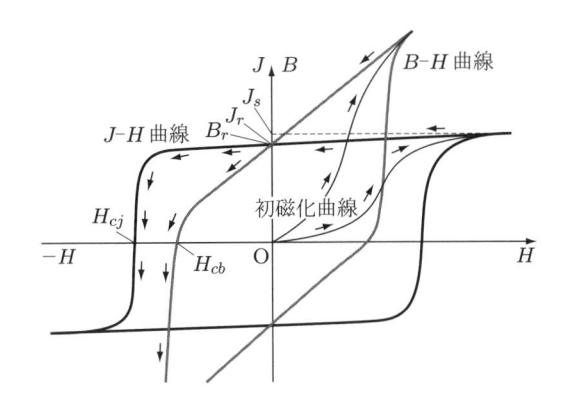

図 3.5 磁化曲線 (B-H 曲線と J-H 曲線)

J-H 曲線の場合，磁気飽和に達すると磁極の強さ J はそれ以上大きくならず，一定値になる．B-H 曲線の場合，磁気飽和しても外部磁界が増加すると B は増加する．磁界 H がゼロの残留磁束磁化 J_r は B-H 曲線の残留磁束密度 B_r と同じ値である．J-H 曲線と B-H 曲線のもっとも大きな違いは保磁力である．磁極の強さ J がゼロになる保磁力 H_{cj} は磁束密度 B がゼロになる保磁力 H_{cb} と異なる値である．このとき外部磁界はマイナスなので磁束密度は J から H を引いたものになるからである．磁石は H_{cj} の大きさの外部磁界がかかると外部磁界を取り除いても残留磁束はゼロとなってしまう．したがって，H_{cj} が本当の意味での永久磁石の保磁力を表している．このように永久磁石では磁束密度 B ではなく，磁極の強さ（磁極として現れる磁束密度）J が永久磁石の実態を表している．そのため J-H 曲線がよく用いられているのである．

磁石の性能を示す指標として最大エネルギー積 $(BH)_{\max}$（単位 kJ/m^3）を使う．減磁曲線は直線または上に凸である．したがって，B と H の積には最大値がある．$(BH)_{\max}$ の例を図 3.6 に示す．$(BH)_{\max}$ が大きいということは B-H 曲線が 45° の直線に近いということである．このことは J-H 曲線が正方形に近いことになる．

このほかに磁気的なパラメータとして重要なものに透磁率がある．透磁率 μ は次式に示すように，磁界の強さと磁束密度の比例関係を表すものと電磁気学では教えている．

3 永久磁石

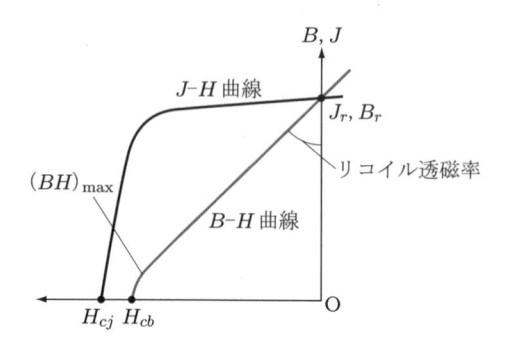

図 3.6 最大エネルギー積 $(BH)_{\max}$

$$B = \mu H$$

しかし，図 3.4 に示したように B と H の関係は直線ではない．μ が一定ではヒステリシス曲線は成り立たない．実は透磁率 μ とは，物質により決まる一定の物質定数ではないのである．透磁率は外部条件によって変化する．そのため透磁率には第 4 章で述べるようなさまざまな定義がある．このうち，永久磁石ではリコイル透磁率が使われることが多い．リコイル透磁率とは $H = 0$ のときの B_r における減磁曲線の接線の傾きである．

磁気特性は温度による変化が大きい．磁気的な性質（磁性）は温度上昇とともに低下してゆく．やがて，ある温度付近になると急激に低下する．強磁性体は常磁性体に変化してしまう．この急激に変化する温度をキュリー点，キュリー温度という[*1]．強磁性体はキュリー温度を超えると，再度低温に戻しても磁性が戻らない．不可逆な変化をする．永久磁石では超えてはいけない温度である．一方常磁性体の場合，キュリー温度を超えての変化は可逆的な変化である．

> **COLUMN**
>
> **餃子屋さんのキュリー点**
>
> ある餃子のチェーン店では，餃子を焼くのに IH ヒータを使っているそうです．焼き板の温度がキュリー点を超えてしまうと磁気特性が劣化するので磁束が低下して IH 加熱しなくなってしまいます．つまり，勝手に餃子の焼き具合が一定になる焼き板を使っているようです．温度や時間の測定が不要で，しかも人が監視していなく

[*1] キューリーでないことに注意 (Curie です)．

ても常に同じ焼き具合で餃子ができ上がるということになります．賢いやりかたです．でも焼き板のキュリー点は，たぶんこの餃子屋さんの企業秘密でしょうね．

3.2 永久磁石の磁気回路と動作点

3.2.1 永久磁石の磁気回路

永久磁石の動作を考えてみよう．永久磁石の動作とは磁石のN極から出た磁束が磁石の外部のどのような経路をたどってS極に戻ってくるかを考えるということである．このような磁束の通路を磁路といい，磁路の集合を磁気回路という．

磁気回路においては電気回路と同じような法則が成り立つ．磁束を Φ，起磁力を F とする．このとき，次の式が成立する．

$$\Phi = \frac{F}{R_m}$$

ここで，R_m は磁気抵抗（リラクタンス）である．この式は，磁気回路のオームの法則とよばれる．磁気回路を電気回路と対応させると表3.1のようになる．この表にしたがって電気回路と磁気回路を対応させると，キルヒホッフの法則も成立する．すなわち，節点では磁束の総和がゼロとなり，

$$\sum \Phi_n = 0$$

が成立する．したがって磁気回路の直列接続，並列接続も電気回路と同様に考えることができる．

表 3.1 磁気回路と電気回路の対応

電気回路	磁気回路
起電力　E	起磁力　F
電　流　I	磁　束　Φ
抵　抗　R	磁気抵抗　R_m

注）パーミアンス P は磁気抵抗 R_m の逆数である（$P = 1/R_m$）

3.2.2 永久磁石の動作点(パーミアンス)

磁気抵抗(リラクタンス)R_m の逆数をパーミアンス P といい,$P = 1/R_m$ で表される.永久磁石の起磁力を F とし,磁束を Φ とする.磁石から見た外部の磁気回路のパーミアンス(外部パーミアンス)を P とする.このとき外部の磁束の様子は図 3.7 に示すように考えることができる.磁気回路はオームの法則が成立するので,起磁力,磁束,パーミアンスの関係は

$$\frac{\Phi}{F} = \frac{1}{R_m} = P$$

である.磁石の断面積を a_m,長さを l_m とする.磁石内部の磁界を H_0,磁束密度を B とすれば,

$$F = l_m H_0$$
$$\Phi = a_m B$$

と表せる.ただし,磁石内部の磁束密度は一様であると仮定している.いま,

$$p_c = \frac{B}{H_0} = \frac{\Phi}{F}\frac{l_m}{a_m} = P\frac{l_m}{a_m}$$

としたとき,p_c をパーミアンス係数とよぶ.この式はパーミアンス係数とは磁石の単位体積あたりに換算した外部パーミアンス P であることを示している.

永久磁石の動作点とは,この外部の磁気回路で決まるパーミアンス直線と永久磁石の減磁曲線の交点である.これを図 3.8 に示す.永久磁石から見た外部の磁気回路は磁石を空気中においた場合と磁性体の近くにおいた場合では異なる.すなわち,磁石回転子を単体で空気中に置いたときとモーターとして固定

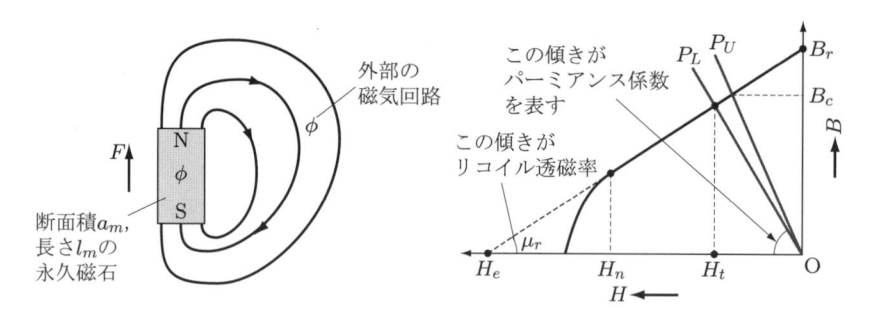

図 3.7 永久磁石の外部の磁気回路

図 3.8 永久磁石の動作点

子と組み合わされたときでは磁気回路は異なるのである．近くに鉄などの磁性体があると磁性体が磁化され，それが外部に磁界を作る．そのため永久磁石の磁化を強めるのである．このことはパーミアンス係数を大きくすることになる．図において P_L は磁石回転子単体で外部の空気を磁気回路としたときのパーミアンスである．磁石回転子を空気中に単体でおいた場合の磁石の動作点はパーミアンス線 P_L との交点である．

一方，P_U はエアギャップを介した磁気回路のパーミアンスである．固定子と組み合わせたときの P_U と減磁曲線の交点がモーターとしての初期動作点である．これにさらにモーター電流による磁界を外部磁界として考慮する必要がある．すなわち，モーターに組み込んだ場合，モーター動作に使える磁束密度は磁石の材質で決まる残留磁束密度 B_r より小さい B_c である．動作磁束密度 B_c は磁石の形状および磁気回路により決定されるのである．

ここで，パーミアンス係数 p_c と 3.1 節で述べた反磁界係数 N_d との対応を述べる．磁石内部の反磁界 H_d は

$$H_d = -N_d J$$

である．このとき反磁界係数 N_d は磁石の形状のみで決まると説明した．しかし，実際の磁石の動作は磁石の形状ばかりでなく，外部の磁気回路にも影響される．そこでパーミアンス係数 p_c を使う．動作点でのパーミアンス係数は動作点の磁束密度 B_d を用いて次のように表される．

$$p_c = -\frac{B_d}{H_d}$$

パーミアンス係数 p_c と反磁界係数 N_d の関係は次のようになる．

$$p_c = \frac{1 - N_d}{N_d}$$

つまり，反磁界係数が大きいほどパーミアンス係数が小さくなる．

なお，図において H_n は屈曲点の磁界であり，モーターの設計では永久磁石の動作点 H_t と温度上昇したときの H_n の関係に注意する必要がある．H_n の値は温度により変化する．これについては 3.2.4 項で述べる．なお μ_r はリコイル透磁率であり，$B_r (H = 0)$ における減磁曲線の接線の傾きである．

3.2.3 着磁

磁石を製造後，初めて磁性をもたせることを着磁という．着磁は外部から大きな磁界をかけることにより行う．原理的には図 3.9 に示すように空心コイル（ソレノイド）の内部に磁石を置き電流を流せば磁化される．実際には空心コイルではなく，図 3.10 に示すような均一な直流磁界中に磁石を配置する．これにより単純な形状の磁石は一様に着磁できる．

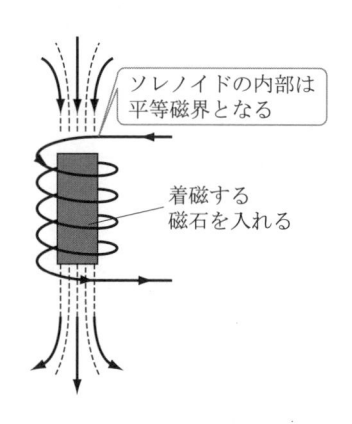

図 3.9 着磁の原理

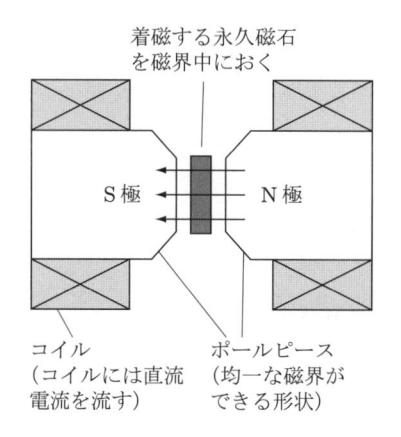

図 3.10 静磁場による着磁

しかし，空気中を通る磁束を使うと強い磁界強度が得られない．また，複雑な磁極パターンの着磁をすることも不可能である．そのため着磁ヨークを使う．着磁のための磁路を形成する冶具を着磁ヨークという．着磁ヨークの原理を図 3.11 に示す．着磁ヨークを使えば強い磁界強度が可能で，ヨークの形状により複雑な磁極パターンも着磁可能である．なお，着磁するためにはネオジム[*1]磁石の場合 10^6 A/m 以上の強磁界が必要であり，大電流を流す必要がある．

着磁にはパルス電流を流せばよい．パルス着磁は大容量のコンデンサに蓄えられた電荷を瞬時に放電することにより行う．パルス電流の立ち上がりにより磁石内部にうず電流が誘導され磁束の浸透を妨げるためパルス幅は数ミリ秒以上必要である．小型の磁石でも比較的大規模な電源が必要である．

[*1] ネオジウムと記されることもある (英：neodymium． 独：neodym).

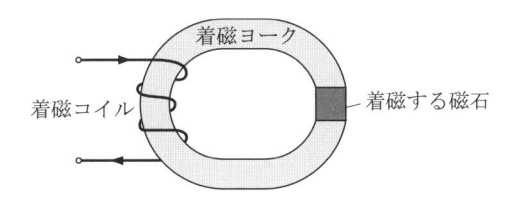

図 3.11 着磁ヨーク

着磁においては磁石の磁化容易軸というものを考慮する必要がある．磁石は一部を除いて粉末を焼結して製造する．焼結する前に粉末状態で成形する．このとき磁界中成形を行う．磁性体には磁化容易軸と磁化困難軸があり，成形する際に着磁されるべき方向に磁界をかける．これにより内部の磁区が磁界方向に配列する．このような磁区の方向が揃えられている磁石を異方性磁石という．異方性磁石は磁束密度が高い磁石が実現できる．磁界をかけずに成形する等方性磁石には着磁方向に制限はないが，内部の磁区の方向はばらばらである．回転子に磁石を使う場合，図 3.12 に示すように磁化方向を一定にするか，径方向に着磁するかを考える必要がある．

異方性磁石をさらに強力にする方法として磁石の配列を工夫することが行われる．図 3.13 には，ハルバッハ配列とよばれる磁石の配置法を示す．このようにすると複数の磁石の磁束が合成されるので外部から見ると見かけ上強力な磁石として用いることができる．

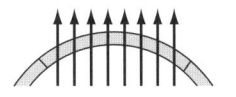

（a）ラジアル異方性　（b）パラレル異方性

図 3.12 異方性　　　　　　　　**図 3.13** ハルバッハ配列

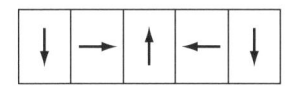

■ 3.2.4 減 磁

永久磁石は外部磁界により減磁する．しかし，減磁の限界は保磁力ではない．図 3.14 に示すように磁化曲線の H_n で示される屈曲点（クニック点[*1]）であ

[*1] ドイツ語が語源らしい．英語では the knee point という．

る．磁石の動作点は減磁曲線とパーミアンス直線の交点である．図では例としてパーミアンス係数の比較的大きいA点を示している．外部の磁界が変化してパーミアンスが変化すると動作点は減磁曲線上を移動する．外部磁界が増加しても動作点が H_n より右にあるときには外部磁界が再び減少しても同一の線上にある，すなわち磁界がゼロになったとき残留磁束密度は B_r の直線である．これを可逆減磁という．しかし，パーミアンス係数が小さい場合，外部磁界の増加により動作点が H_n より左になり，屈曲点 H_n を超えてしまい，Bが動作点になる．このとき，外部磁界を取り去っても元の磁化曲線上を戻らない．残留磁束密度は B'_r に減少してしまうのである．以後，磁化曲線は B'_r-B となってしまう．このような変化を不可逆減磁という．つまり磁石の減磁の限界は保磁力 H_{cb} ではなく屈曲点の H_n なのである．

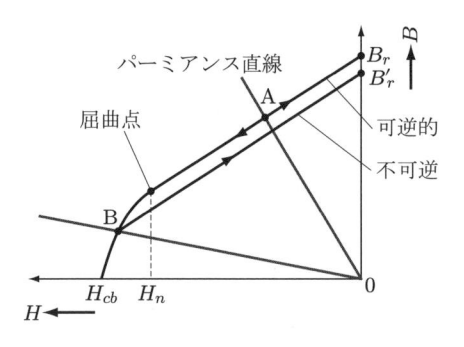

図 3.14 可逆減磁と不可逆減磁

　永久磁石の特性は熱エネルギーの影響を受けて変化する．温度による特性の変化を図3.15に示す．図（a）で示すネオジム磁石の場合，高温になると磁気特性が低下する．H_{cb} は右に移動する．それにともない屈曲点は右に移動する．そのため，高温での動作により不可逆減磁が生じる．

　一方，図（b）に示すフェライト磁石では低温になると残留磁束密度 B_r は増加するものの保磁力 H_{cb} は低下する．そのため屈曲点も右に移動する．低温での動作により不可逆減磁が生じる．

　このような不可逆減磁を防ぐためにはパーミアンス係数を高くすればよい．

（a）ネオジム磁石　　　　　（b）フェライト磁石

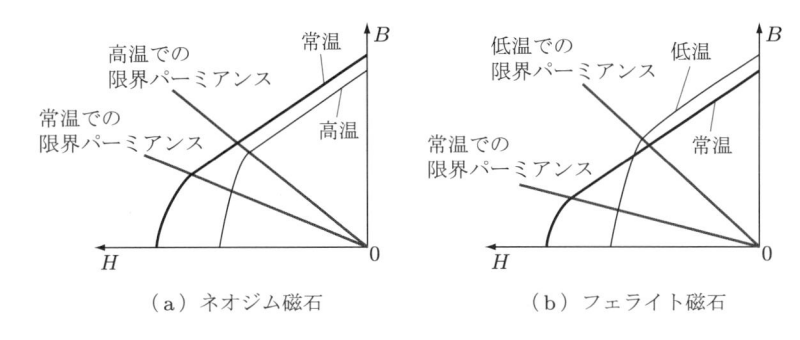

図 3.15　温度による特性の変化

つまり磁気抵抗を小さくすればよい．このことは磁石を大きくするか，または，外部磁気回路全体を大きくすることになる．一般的にはコストや大きさから限界がある．また，ネオジム磁石にジスプロシウムなどの重希土類を添加するのはこのような高温特性の低下を防ぐためである．

なお，磁石には経年変化による特性変化がある．これはさまざまなメカニズムが複合されており，一概に説明できない．蓄積した熱エネルギーの総量に比例するとも考えられている．なお，鉄系の磁石にさびが発生すればその分だけ特性が劣化するのは当然である．

3.3 永久磁石材料

3.3.1 種　類

永久磁石には古くから使われているもの，近年発明されたものなどがあり，さまざまな種類がある．主な永久磁石の種類と特徴を表 3.2 に示す．各種永久磁石の減磁曲線の比較を図 3.16 に示す．各種永久磁石の代表的な特性を表 3.3 に示す．

アルニコ磁石は，アルミニウム Al，ニッケル Ni，コバルト Co の合金で最も古くから工業化された磁石である．鋳造により製造するので鋳造磁石ともよばれる．保磁力が小さいのでモーターにはあまり使われていない．外部温度による磁気特性の変化が少ないため精密計器での使用や，キュリー点が高い性質を活かして高温になる部分での使用などに限られる．

3 永久磁石

表 3.2 永久磁石の種類と特徴

磁石の特徴		特 徴
フェライト磁石	等方性フェライト磁石	酸化鉄を主原料にして焼結して製造・磁力は弱いが安価であり安定している．広い分野で使われている．
	異方性フェライト磁石	
金属磁石	アルニコ磁石	古くから使われている．温度特性がよいので計測器に使われる．鋳造磁石ともよばれる．
	希土類磁石 サマリウムコバルト磁石	磁力が強く，耐腐食性もよい．温度特性がよく200℃程度の高温でも使用可能．
	希土類磁石 ネオジム磁石	1984年に日本で発明された磁石．磁束密度が高くモーター用の主流である．

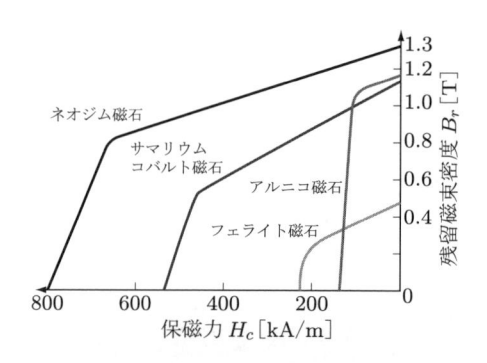

図 3.16 各種永久磁石の減磁曲線

表 3.3 各種永久磁石の代表的な特性

磁石の種類	残留磁束密度 [T]	保磁力 H_{cb} [kA/m]	最大エネルギー積 $(BH)_{max}$ [kJ/m³]	キュリー点 [℃]	抵抗率 Ω [cm]
等方性フェライト	0.2	170	10	450	100 以上
異方性フェライト	0.4	270	30	450	100 以上
アルニコ	1.2	50	40	860	10^{-4}
サマリウムコバルト	1.2	600	200	750	10^{-4}
ネオジム	1.3	1000	300	300	10^{-4}

フェライト磁石は酸化鉄の粉末を主成分として焼結した磁石で，いわば磁器のような機械的性質をもつ．酸化鉄は製鉄の副産物として得られるため価格が安く，広く用いられている．小型モーターでは異方性フェライトがよく使われる．

サマリウムコバルト磁石はその名の通り，サマリウム Sm とコバルト Co を主原料とした焼結磁石である．磁力は強く，高温で使用できる．しかし，二種の原料とも希土類元素であり高価なため使用は少ない．

ネオジム磁石は，ネオジム Nd と鉄 Fe を主原料とした焼結磁石である．磁気特性は優れており究極の磁石とよばれたこともある．原料が比較的安価なためコストも高くない．鉄を含んでいるため機械的強度が高い．その反面，さびるので表面をコーティングする必要がある．また，高温で保磁力が低下するためジスプロシウム Dy などの重希土類を添加する必要があり，資源，価格的な問題も生じている．

このほかボンド磁石，ゴム磁石などとよばれている磁石がある．それぞれ各種の磁石の粉末をプラスチックやゴムで固めたものである．機械加工，成形性などに有利である．ただし，ボンド磁石はプラスチックやゴムが入っているので磁石の密度が相対的に低い．そのため磁石としての性能は低下する．

3.3.2 製造法

磁石の製造は磁石の種類によらず基本的には共通している．まず，原料を配合して焼成，または溶解あるいは合金化して磁石を合成する．合成したものは粉砕され，磁石の粉末またはペレットとなる．次にペレットや粉末を最終形状に成形したうえで固める．磁界中で圧縮成形することもある．最終形状になってから磁石は着磁される．この流れを図 3.17 に示す．それぞれの磁石の詳細の工程の詳細は磁石によって異なる．

フェライト磁石の製造工程を図 3.18 に示す．酸化鉄 (Fe_2O_3) を主原料とし，微量の各種原料を使用する．なお Fe_2O_3（三酸化二鉄）は顔料として赤色の「べんがら」として知られている．いわゆる鉄さびであり，工業的には製鉄の副産物として得ることができる．混合した材料を焼成し，原料をフェライト化する．これは仮焼とよばれる．仮焼したフェライトは微粉末に粉砕される．成形のためにバインダ（粒子を接着させるもの），潤滑材（圧縮したときの粉体の流動性

3 永久磁石

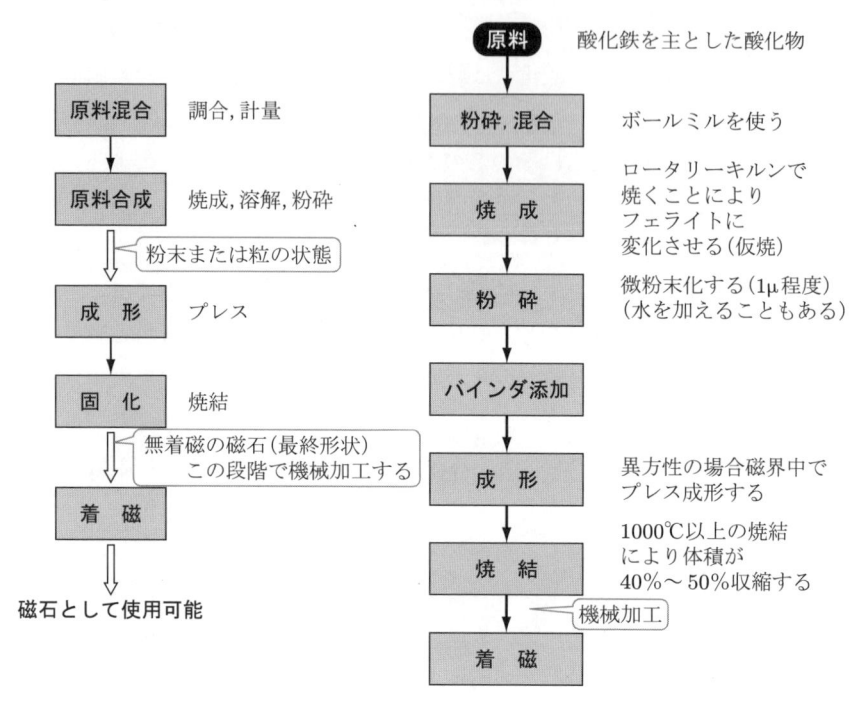

```
原料混合    調合,計量
   ↓
原料合成    焼成,溶解,粉砕
   ↓  ←粉末または粒の状態
 成 形     プレス
   ↓
 固 化     焼結
   ↓  ←無着磁の磁石（最終形状）
         この段階で機械加工する
 着 磁
   ↓
磁石として使用可能
```

図 3.17 磁石の製造

```
 原料        酸化鉄を主とした酸化物
   ↓
粉砕,混合    ボールミルを使う
   ↓
 焼 成      ロータリーキルンで
            焼くことにより
            フェライトに
            変化させる(仮焼)
   ↓
 粉 砕      微粉末化する(1μ程度)
            (水を加えることもある)
   ↓
バインダ添加
   ↓
 成 形      異方性の場合磁界中で
            プレス成形する
   ↓
 焼 結      1000℃以上の焼結
            により体積が
            40%〜50%収縮する
   ↓       ←機械加工
 着 磁
```

図 3.18 フェライト磁石の製造法

をよくするため）を添加する．微粉末を乾燥状態で成形する場合（乾式）と水分を加えて成形する場合（湿式）がある．異方性フェライトを製造するには成形中に磁界をかけ粒子の磁化容易方向を揃える．成形後，最終焼結される．フェライトは最終焼結により体積が 40〜50％収縮してしまう．焼結による体積収縮が大きいということは円柱などの比較的単純な形状でないと作れないということである．そのため，焼結後に機械加工する場合もある．

ネオジム磁石の製造工程を図 3.19 に示す．精製したネオジム，ホウ素 (B)，鉄などの原料を真空状態で溶解し，合金化する．原料に鉄が含まれているため高温状態で空気に触れないことが必要である．得られた合金は非常にもろく，容易に粉砕できる．数 μm の粒子に粉砕する．粉砕といっても，この大きさまで粉砕するには，叩き割る，磨り潰す，だけでなく，粉体を流動させ，粉体どうしを衝突させるなどの高度な方法が必要である．つまり，製造にはノウハウが

3.3 永久磁石材料

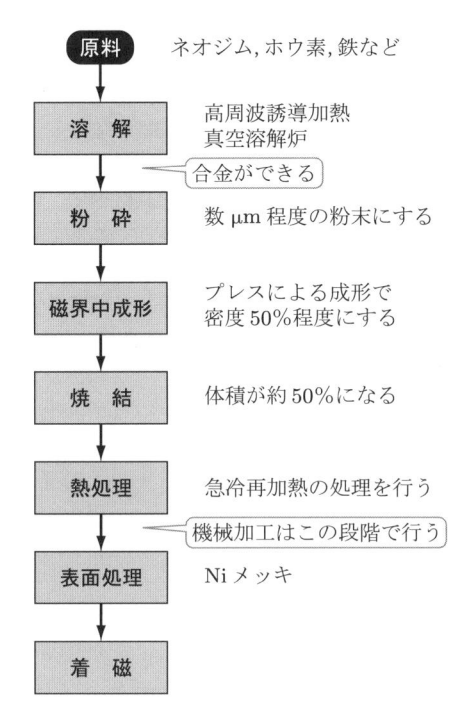

```
[原料] ← ネオジム,ホウ素,鉄など
   ↓
[溶 解] ← 高周波誘導加熱
          真空溶解炉
   ↓  〔合金ができる〕
[粉 砕] ← 数 μm 程度の粉末にする
   ↓
[磁界中成形] ← プレスによる成形で
              密度50%程度にする
   ↓
[焼 結] ← 体積が約50%になる
   ↓
[熱処理] ← 急冷再加熱の処理を行う
   ↓  〔機械加工はこの段階で行う〕
[表面処理] ← Ni メッキ
   ↓
[着 磁]
```

図 3.19 ネオジム磁石の製造法

多い．得られた粉体は磁界中で加圧成形される．磁界の方向は磁石として着磁する方向である．しかし実際に加圧するにあたっては，図 3.20 に示すように，加圧の方向と磁界の方向を直角または平行にするかしかない．加圧方向と磁界方向が直角のほうが磁気特性がよいといわれている．しかし，形状によっては直角方向に磁界をかけるのは難しい場合がある．たとえば，板状に成形するには板の上下から加圧するが，このとき，横方向に磁界をかけるのは困難である．また，加圧により密度をあまり高くしてしまうと粉末の摩擦により磁界をかけても配向しなくなることがある．成形したものは焼結される．ネオジム磁石も焼結により体積が約 50% 収縮する．

焼結の終了後，熱処理が必要である．熱処理とは焼結後に何回か加熱冷却をすることである．焼結終了後，急冷し，再度より低い温度まで加熱する．この後，徐冷，再加熱，急冷などを繰り返す．この処理を時効ともよぶ．時効によ

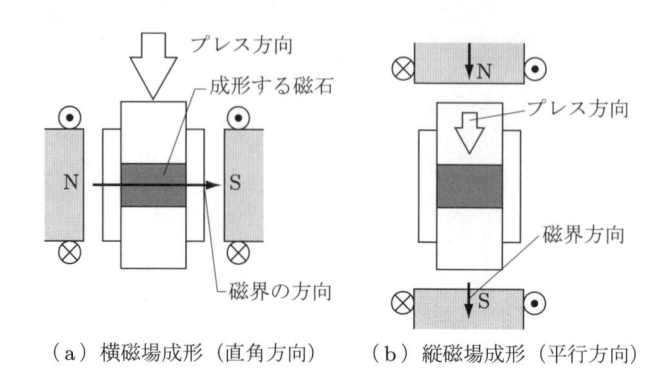

(a) 横磁場成形（直角方向）　　（b) 縦磁場成形（平行方向）

図 3.20　磁界中成形

り粒界構造を制御する．ネオジム磁石は焼結によるでき上がりの寸法精度が悪いため，ほとんど研削による機械加工を行う．ネオジム磁石は鉄を含んでいるため，表面をコーティングする必要がある．ニッケル (Ni) メッキまたはアルミニウムコーティングが行われる．機械加工後の磁石の表面は平坦ではないため，このコーティングにもノウハウが必要である．

ボンド磁石は磁石の粉末をプラスチックで固めたものである．ボンド磁石の製造工程を図 3.21 に示す．モーターに使われるボンド磁石の多くはネオジム磁石を使ったボンド磁石である．粒状の磁石を樹脂と混練する．このとき粒の大

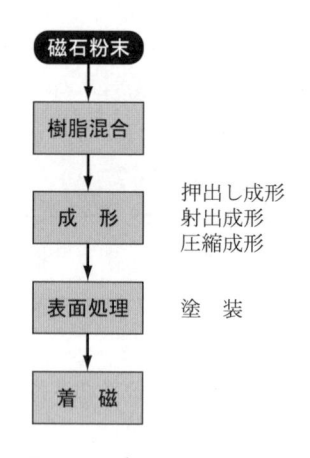

図 3.21　ボンド磁石の製造法

きさは次の工程の成形法によって異なる．混練した樹脂は押し出し成形，射出成形または圧縮成形で成形される．ボンド磁石はプラスチックと混合するといってもバインダ程度にプラスチックが入っていると考えたほうがよい．したがって，磁石の密度はかなり高い．ボンド磁石の場合，機械加工は比較的容易であり，表面処理として塗装も可能である．

COLUMN

磁石は日本の名産品

現在では，モーターに使われる永久磁石の生産高は中国が世界一ですが，もともと日本が製造の中心でした．それは，磁石の大半はわが国で発明され，わが国で工業化されたものだからです．磁石は日本の貢献が大きいのです．

天然の素材を利用して作られたのが方位磁針です．中国語の「指南」という言葉もそういうことですね．羅針盤として使われてきました．しかし，強力で工業的にも使えるような磁石は 20 世紀になって発明されました．年表にしてみましょう．

磁石の発明の歴史

年号	磁石	発明者	備考
1917	KS 鋼 (Fe-Co)	本多光太郎（東北帝大）	近代磁石の夜明け
1930	OP 磁石 (Co フェライト)	加藤与五郎，武井武（東工大）	フェライト磁石の基礎
1932	MK 鋼 (Al-Ni-Fe)	三島徳七（東京帝大）	アルニコ磁石は MK 鋼の改良
1934	NKS 鋼 (Co-Ti-Al-Ni-Fe)	本多光太郎，増本量（東北帝大）	強力な鋳造磁石として用途を拡大
1943	アルニコ磁石	GE	NKS 鋼に Cu を添加
1952	Ba フェライト	フィリップス	日本メーカーが工業化
1961	Sr フェライト	ウエスチングハウス	日本メーカーが工業化
1969	サマリウムコバルト	米軍	1-5 系，2-17 系とも日本メーカーが工業化
1983	ネオジム磁石	佐川真人（住友特殊金属）	日本メーカーが工業化

なお，特許庁がわが国の特許制度 100 年の記念に選んだ日本の十大発明家には本多光太郎氏と三島徳七氏のお二人が入っています．磁石は日本が誇る発明なのです．

3.4 永久磁石回転子

3.4.1 永久磁石の取り付け

多くの永久磁石は焼結材料であり，穴あけなどの細かい機械加工には向いていない．そのため永久磁石を固定するには形状的な工夫が必要である．磁石の固定は組み立て法という面もあるが，回転子に用いる場合，遠心力に耐えることを考える必要がある．

小容量のモーターではリング状の磁石を用いることが多い．これは一体の磁石で部品点数は 1 である．着磁によりさまざまな極数で用いることができる．また図 2.11（a）に示すように鉄心への接着もよく用いられる．小容量のモーターの場合，接着でほとんど問題はない．

はめあいを利用して磁石を固定することもある．埋め込み磁石モーター (IPM) は磁石形状の空隙を鉄心に設けて磁石をはめ込む．図 2.12 に埋め込み磁石回転子の基本的な形状を示した．埋め込み磁石の場合，鉄心で磁石を固定することになる．図 3.22 に示すのは，はめあいを利用した磁石の固定部分を拡大したものである．これはインセットマグネットとよばれ，磁石が露出するので表面磁石型モーターである．しかし，鉄心のつめによりわずかであるがリラクタンストルクも生じる．

ネオジム磁石を用いる場合，抵抗率が比較的小さいので磁石内部をうず電流が流れ，損失になる．そのため磁石を軸方向に分割し積層することも行われる．

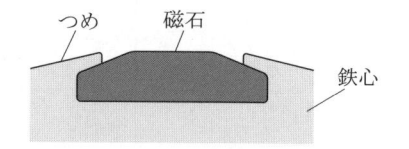

図 3.22 インセットマグネット

3.4.2 遠心力対策

回転子に永久磁石を用いる場合，遠心力による磁石のはがれ，および飛散を考慮する必要がある．そのため回転子の表面を補強する．

フィラメントワインディングは FRP の製造法として一般的である．回転子

3.4 永久磁石回転子

の表面にグラスファイバを巻き，樹脂で固める方法である．図 3.23 に示すように巻く．一般的にローターの周速が 100 m/s 以下の範囲で使われる．フィラメントに角度をつけて巻き，多層巻にして強度を上げることも可能である．

金属のスリーブをかぶせる場合，スリーブはリテンションリングとよばれる．断面は図 3.24 のようになる．スリーブには非磁性体の金属を使用する必要がある．ステンレスの場合 120 m/s，インコネル[*1]を使えば 200 m/s 程度に耐えるといわれている．

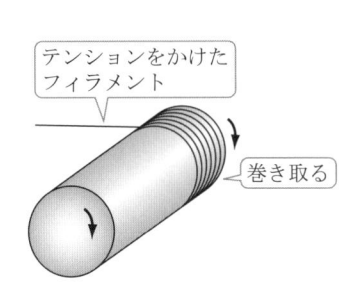

図 3.23 フィラメントワインディング　　**図 3.24** 飛散防止スリーブ（リテンションリング）

スリーブが回転子の半径に比べはるかに薄く，図 3.24 の $R_1 = R_2$ と考えると，回転によるスリーブ表面の引張応力 σ_t は次のように表される．

$$\sigma_t = \delta v^2 \times 10^{-6} \quad [\text{N/mm}^2]$$

ここで，δ はスリーブの材料の密度 [kg/m^3]，v は周速 [m/s] である．このように十分薄いスリーブでは引張応力は材質と周速で決まると考えてよい．

一方，磁石が内側からスリーブを押し広げようとする応力 σ_m は次のように表される[*2]．

[*1] ニッケルにクロム鉄などを入れた合金の商品名．高温特性に優れているが加工が難しい．
[*2] "Design of brushless permanent-magnet machines", J.R. Hendershot and T.J.E. Miller, Motor Design Books LLC (2010) ISBN 978-0-9840687-0-8

3 永久磁石

$$\sigma_m = \frac{\delta_m \omega^2}{3R_1}(R_1^3 - R_0^3) \times 10^{-12} \quad [\text{N/mm}^2]$$

ここで，δ_m は永久磁石の密度，R_1，R_0 は磁石の内径，外径 [mm] である．したがって，スリーブとして考慮すべき応力 σ は次のようになる．

$$\sigma = \sigma_t + \sigma_m$$

このようにスリーブの強度は周速で決まるので，回転数だけでなく回転子の直径が大きく影響する．

　IPM の場合，磁石は鉄心に埋め込まれているので遠心力の問題は鉄心の強度の問題になる．図 3.25 に示すように永久磁石の埋め込み形状により鉄心の強度が異なってくる．図（a）のように大きな磁石を埋め込むとふたになった部分の鉄心には大きな応力がかかる．したがって，図（b）のように磁石を 2 分割し，中央にリブを入れて，ふたの部分の強度を増すことができる．さらに磁石の埋め込み方向を図（c）のようにすると応力の方向に対しての強度が増す．IPM の場合，磁石の形状，配置はモーターの特性に直接関係するが，それが強度にも関係するので電磁気的な設計と機械的な設計を同時に進めてゆく必要がある．

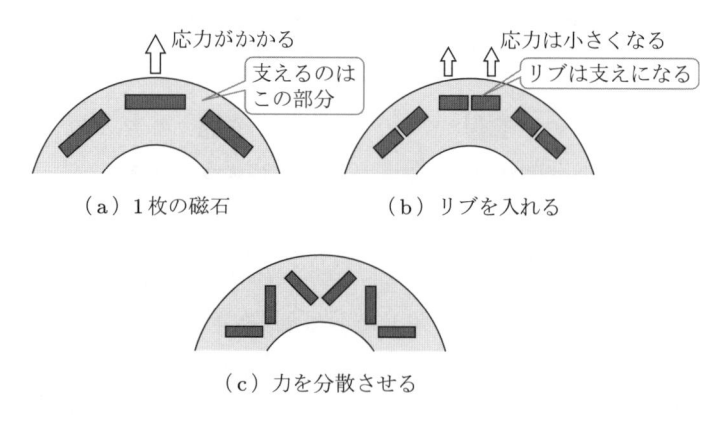

（a）1 枚の磁石 　　（b）リブを入れる

（c）力を分散させる

図 3.25　埋め込み磁石の強度向上

■ 3.4.3　組み込み着磁

　組み込み着磁とは，永久磁石を無着磁のままモーターを組み立て，回転子を組み込んでから，モーターのコイルに電流を流すことにより着磁する方法であ

る．このときのコイルと回転子の位置関係により着磁が決まる．着磁電流はkAオーダーのパルス電流である．電流と着磁量などをあらかじめ十分検討しておく必要がある．

　また，着磁によりコイルには電磁力が発生する．これによりコイルに応力がかかり変形する．この変形は絶縁物へのストレスになる．突極集中巻の場合，複数回着磁電流を流すこともある．着磁による絶縁の劣化も考慮しなくてはならない．

　モーターを組み立てる際には，着磁した永久磁石は非常に扱いにくい．周囲のごみを集めるばかりでなく，強力な磁石の場合，金属製の工具が飛んでゆくようなことも起こる．ある意味では凶器と考えるべきである．鉄の定盤に吸着したらクレーンを使ってもはがれない．したがって，着磁した磁石を扱うための治具がどうしても必要である．また，汚れの吸着を防ぐため，組み立て中は必ず非磁性体で外装しなくてはならない．そのようなさまざまな事情から組み込み着磁が行われるようになってきたのである．

4 鉄心と鉄心材料

　モーターは電流を流して磁束を発生し，磁束を利用して電気エネルギーを機械エネルギーに変換するエネルギー変換装置である．鉄心は磁束の通路となり，磁路を形成する．鉄心の形状は磁束の流れを決める．また，鉄心にはモーターに電流を流すためのコイルが巻かれている．つまり，鉄心は単に磁路としてではなくコイルや永久磁石を保持するという構造的な役割もある．すなわち，鉄心は機能的にも構造的にもモーターの中心をなす主要部品である．本章では，鉄心について述べるとともに鉄心に用いる軟磁性材料についても述べてゆく．

4.1 磁性材料

4.1.1 軟磁性材料

　磁性材料は大きく分けて硬磁性材料 (hard magnetic material) と軟磁性材料 (soft magnetic material) がある．硬磁性材料とは第 3 章で述べた永久磁石材料である．軟磁性材料が鉄心に用いられる材料である．

　軟磁性材料は磁化しやすいことが要求される．すなわち透磁率が高い材料である．またヒステリシス損失が少ないことが要求される．すなわち保磁力が小さい材料である．

　一方，硬磁性材料はこれとは逆に外部磁界に対しても磁気が消えず，蓄えられたエネルギーを利用できるように保磁力が大きい必要がある．両者のヒステリシス曲線の違いを図 4.1 に示す．軟磁性材料は保磁力 (H_C) が小さいためヒステリシスループの囲む面積が小さい．硬磁性材料（永久磁石）は保磁力が大きいためループの囲む面積が大きい．つまり軟磁性材料とは，ヒステリシスループの面積の小さい材料であるということもできる．また，軟磁性材料は曲線の傾きが大きい．これは透磁率 ($\mu = B/H$) が高いことを示している．このことは軟磁性材料は外部の磁界の影響により内部の磁束が変動しやすい性質をもつ

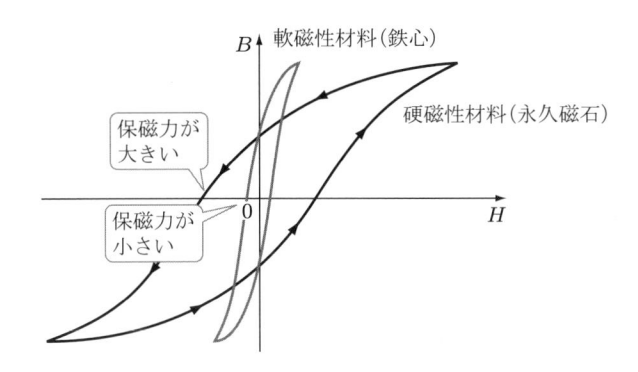

図 4.1 軟磁性材料と永久磁石

ていることを示している．これとは逆に硬磁性材料は外部の磁界では磁化されにくいが，いったん磁化されると磁化が消えにくいという性質を示している[*1]．

4.1.2 透磁率

透磁率 μ とは外部磁界の強さに対する磁束密度の比である．すなわち

$$B = \mu H$$

である．ここで，磁界 H の単位は [A/m] である．磁束密度の単位は [T] である．この両者の比が透磁率 μ であり，透磁率の単位は [H/m]，あるいは [N/A^2] である．また真空の透磁率 μ_0 との比を比透磁率 μ_s といい，μ_s は無次元の数値である．

$$\mu = \mu_s \mu_0$$

真空の透磁率 μ_0 は

$$\mu_0 = 4\pi \times 10^{-7} = 1.25 \times 10^{-6} \quad [\text{H/m}]$$

である[*2]．

透磁率を図 4.2 に示す磁化曲線で説明しよう．まず，磁性体内部の磁束密度がゼロの状態から磁化してゆくとする．磁界による磁化力が小さいときはほぼ

[*1] 硬軟の語源は定かではないが，一般的に硬い物質のほうが保磁力が高い．
[*2] 真空の透磁率は「心配ない」{心 (4) 配 (π) ない (10^{-7})}と覚える．

4 鉄心と鉄心材料

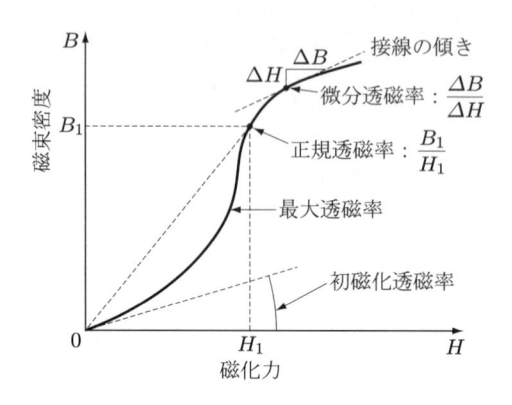

図 4.2 磁化曲線と透磁率

B と H が比例している．このときの磁化曲線の傾きを初磁化透磁率という．このような微弱な磁化状態では磁界を取り去ると磁束密度はゼロに戻る．

さらに磁化力を強めると B が急激に増加し，磁化されやすくなる．やがて磁化曲線はＳ字を描く．このように磁化曲線の傾きは磁化力の強さにより変化する．磁化曲線上の点と原点を結んだ傾きを正規透磁率という．また，磁化曲線上の点の接線の傾き ($\Delta B/\Delta H$) を微分透磁率という．Ｓ字曲線が下に凸から上に凸に変化する点が微分透磁率の最大値になる．これを最大透磁率という．なお，永久磁石で使われるリコイル透磁率は $H=0$ のときの残留磁束密度 B_r における微分透磁率である．

このように磁化力の強さで透磁率が変化するので，図 4.3 のような透磁率曲線が示される．これは正規透磁率で示される．このほかに直流と交流が重畳し

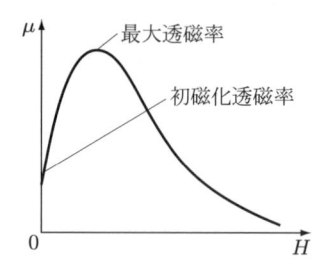

図 4.3 透磁率曲線

たような場合（直流バイアス）には可逆透磁率が用いられる．このようなリップル*1のある直流電流で励磁した場合，磁化曲線は小さなヒステリシスループ（マイナーループ）を描く．図 4.4（a）に示すように磁化力が直流分 H_1 に加えて，時間的に変動する交流分 ΔH が重畳しているとする．このとき，磁化曲線上では ΔH に相当する小さな B-H のループを描く．これをマイナーループという．このような場合，動作中の透磁率はマイナーループの傾きである ΔH と ΔB の比となる．これを可逆透磁率とよぶ．

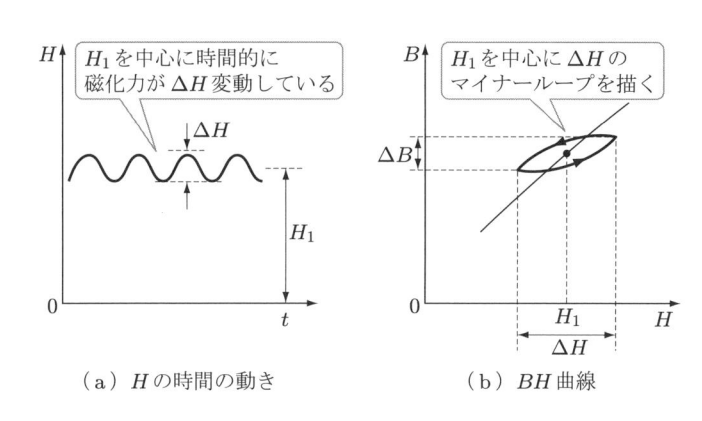

（a）H の時間の動き　　（b）BH 曲線

図 **4.4**　可逆透磁率

4.1.3　鉄　損

鉄を磁化すると発熱する．磁化により消費されるエネルギーを鉄損とよぶ．鉄損の分類を図 4.5 に示す．鉄損 W_i はヒステリシス損失 (hysteresis loss) W_h とうず電流損失 (eddy current loss) W_e に大別される．

$$W_i = W_h + W_e$$

鉄損 ┬ ヒステリシス損 ──────────── [ヒステリシス曲線]
　　 └ うず電流損 ┬ 古典的うず電流損 ── [板厚，抵抗率]
　　　　　　　　　 └ 異常うず電流損 ── [結晶の大きさ，応力など]

図 **4.5**　鉄損の分類

---

*1 脈動（成分）．

ヒステリシス損失は交流で磁化されるときに発生する損失である．大きさはヒステリシス曲線の描くループの面積に比例する．ヒステリシス損失 W_h は次のように表される．

$$W_h = k_h f B_m^{1.6}$$

ここで k_h は係数，f は周波数，B_m は最大磁束密度である．B_m の指数 1.6 はスタインメッツ定数[*1]とよばれる．材料はいったん磁化されるとヒステリシスにより磁化の履歴が残る．ヒステリシス損失はこれを打ち消すために必要なエネルギーと考えることができる．別のたとえでは，磁化が交流でプラスマイナスと反転を繰り返すので，その回転に必要なエネルギーということもできる．

うず電流損失とは，磁化力の変動により材料の内部に誘導起電力が生じ，それにより流れるうず電流で生じるジュール熱である．うず電流損失 W_e は次のように表される

$$W_e = \frac{k_e}{\rho} t^2 f^2 B_m^2$$

ここで，k_e は係数，t は板厚，ρ は抵抗率である．

うず電流損失を低下させるためには鉄にシリコン (Si) を添加して抵抗率を高くする．また，うず電流の経路を遮断するため板厚の薄い鉄板を用い，表面を絶縁して積層する．積層した場合としない場合のうず電流の様子を図 4.6 に示す．

鉄損は一般的にはこのようにヒステリシス損失とうず電流損失の二つに分類して説明される．ところが近年，分析および解析技術の進歩によりうず電流損

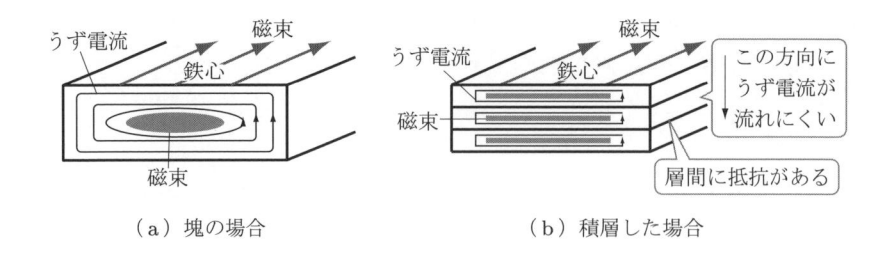

(a) 塊の場合　　　　　(b) 積層した場合

図 4.6　うず電流

[*1] 鉄損は磁束密度のべき乗に比例する，というスタインメッツの式からこの名前がきている．材料によっては 1.6 でない場合もある．

失をさらに二つに分類し，古典的うず電流損失と異常うず電流損失 (anomalous loss) があると考えるようになった．

古典的うず電流損失は上記に示す抵抗率と板厚に関係する W_e である．一方，異常うず電流損失は磁区の磁壁付近にうず電流が集中することにより発生すると考えられている．異常うず電流損失は磁区の大きさ（結晶の大きさ）に関係する．そのほか鋼板表面の張力による機械的なひずみに関係する．異常うず電流損失は結晶粒が大きいと無視できなくなる．変圧器に用いられる方向性電磁鋼板は結晶粒が大きいため従来からこれが問題にされてきた．しかし，モーターに使う無方向性電磁鋼板は結晶粒が小さいので無視できると考えられてきた．近年，モーターの高効率化が進展し，小さな損失も問題にするようになり，モーターで用いる無方向性電磁鋼板でも考慮されるようになった．異常うず電流損失 W_a は次のように表される．

$$W_a = k_a \frac{B_s^2 v^2 t}{\rho}$$

ここで，k_a は異常うず電流係数，B_s は飽和磁束密度，v は磁壁の移動速度である．異常うず電流損失は結晶粒を小さくすることで低下する．軟磁性材料の鉄損を小さくするために望まれる特性をまとめたものを表 4.1 に示す．

表 4.1 鉄損の小さい磁性材料とは

鉄損要因	鉄損を小さくするには	低下する鉄損
透磁率	高くする	ヒステリシス損失
抵抗率	高くする	古典的うず電流損失
厚さ	薄くする	古典的うず電流損失
磁区（結晶）	小さくする	異常うず電流損失

4.2 電磁鋼板

モーターの鉄心には電磁鋼板が用いられる．電磁鋼板とは鉄にシリコンなどを添加することにより結晶方位や磁区を制御し，磁気特性を向上させた板材である．表面には絶縁皮膜をコーティングした電気機器用の鋼材である．本節では電磁鋼板の特性，仕様について述べる．

4.2.1 電磁鋼板の種類

電磁鋼板にはさまざまな種類がある．電磁鋼板は方向性電磁鋼板と無方向性電磁鋼板に大別される．方向性，無方向性というのは，鉄の結晶には磁化容易方向があるため，圧延時に磁化容易方向を圧延方向に揃えたものを方向性電磁鋼板とよんでいる．逆に無方向性電磁鋼板は磁化容易方向がランダムになるように製造されている．本書では，モーターに用いる無方向性電磁鋼板について述べる．

無方向性電磁鋼板にはフルプロセス材とセミプロセス材がある．フルプロセス材とは鉄板を打ち抜き加工後，そのまま積層して鉄心として使用できる一般的な電磁鋼板である．セミプロセス材は，打ち抜き加工後ひずみ取りのための焼鈍[*1](4.5節参照)をモーター製造者が行うことを前提とし，圧延後の焼鈍を簡略化した電磁鋼板である．量産型の小型モーターでよく使われる．

4.2.2 電磁鋼板のよび

電磁鋼板の JIS 規格で決められた記号は図 4.7 に示すように鉄損と板厚で指定される．ここに示した例は厚さ $0.35\,\mathrm{mm}$ で鉄損が $3\,\mathrm{W/kg}$ 以下であることを示している．なお，ここでの鉄損は $W\,15/50$ と定義している．これは $50\,\mathrm{Hz}$ で磁束密度 $1.5\,\mathrm{T}$ のときの鉄損という意味である．

近年は規格にない各種の高性能な電磁鋼板が発売されている．鉄損を低下させるため，板厚を薄くして $0.1\,\mathrm{mm}$ にしたもの，抵抗率を高くするため通常は 3%程度添加するシリコンを 6.5%添加したもの，逆にシリコンの少ないものなどさまざまな電磁鋼板が製品化されている．

```
           35  A  300
```

板厚を 100 倍した値　　無方向性　　周波数 50 Hz，磁束密度 1.5 T
（厚さが 0.35 mm である）　であることを　のときの鉄損値を 100 倍した値
　　　　　　　　　　　示す記号　　（鉄損が 3 W/kg である）

図 4.7　電磁鋼板の規格記号

---

*1 読みは「しょうどん」．口語で「やきなまし」．

4.2.3 絶縁皮膜

電磁鋼板は積層したときに板の間にうず電流が流れないようにするために積層した鋼板の間を絶縁する必要がある．そのため表面に絶縁皮膜がコーティングされている．コーティングには絶縁性のほか，後述 (4.3 節以降) するように鉄心の製造工程およびモーターの使用中に不具合が生じないことが要求される．すなわち，打ち抜き，溶接，かしめなどの加工ではがれることがなく，しかもその後の焼鈍の温度に耐える耐熱性が必要とされる．モーターとして長期間使用している間の耐錆性，耐油性，場合によっては耐フロン性も必要である．表 4.2 に絶縁皮膜の例を示す．コーティングは無機物を用いるが，ほとんどのコーティ

表 4.2 絶縁皮膜の種類 (出典：文献 [11])

コーティング名	特　長	概念図
R	・透明な灰色 ・層間抵抗が高い ・歪取焼鈍温度にも耐える	無機皮膜／鋼板／平滑面　Hrms 0.18μ
L	・淡渇色 ・層間抵抗，打抜性がすぐれている ・歪取焼鈍温度にも耐える	無機・有機皮膜／鋼板／平滑面　Hrms 0.18μ
L_2	・淡渇色 ・打抜性，溶接性が極めてすぐれている	無機・有機皮膜／鋼板／粗面　Hrms 0.75μ
L_3	・淡渇色 ・層間抵抗，打抜性，溶接性が極めてすぐれている ・歪取焼鈍温度にも耐える	分散粒子を含む無機・有機皮膜／鋼板／平滑面　Hrms 0.60μ

4 鉄心と鉄心材料

ングが有機物を含んでいる．ただし，すべての性能を満たすコーティングはないので用途に応じて選択される．

4.3 スリットと打ち抜き

電磁鋼板の製造は製鉄所で圧延され，表面を絶縁コーティングされて完成する．しかしこの後にスリットと打ち抜きという2回の加工が行われる．

4.3.1 鋼板の切断

スリットとは鋼板を所定の幅に長手方向に切断することである．スリットによりでき上がる幅の狭い鋼帯はトイレットペーパー状に巻き取られる．これはフープとよばれる．フープはモーターのコアの形状に打ち抜き加工する際の材料となる．

スリットおよび打ち抜きともせん断により切断する．せん断変形による切断の原理を図4.8に示す．上下の切断工具により電磁鋼板にせん断変形を与え，破壊することにより切断する．スリットの場合は上下の回転する丸刃で連続的に切断する．打ち抜きの場合は上型（パンチ），下型（ダイ）により1枚ずつ打ち抜く．せん断で切断するのは，はさみで切るようなものである．そのためせん断切り口の形状は図4.9に示すような形状になる．

せん断切り口にはダレ，カエリという変形部分とせん断面，破断面がある．ダレは工具が鋼板に押し付けられて，その圧力で押し下げられ変形した部分である．カエリは工具で押し下げられ外側に飛び出した部分である．バリともい

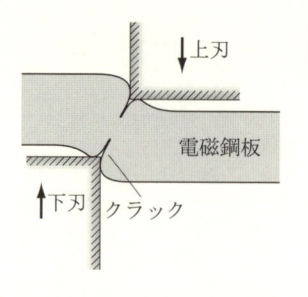

図4.8 せん断による切断

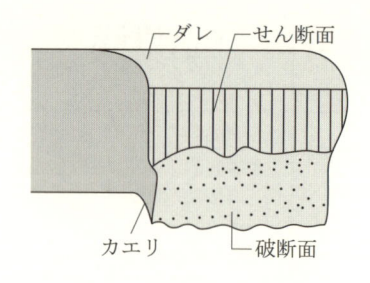

図4.9 せん断切り口の形状

う．せん断面は工具によりひずみを受けた面であり，工具に擦られるため光沢がある．破断面はクラック[*1]により破断した面であり，結晶の粒面が表れ，ざらざらしている．

シリコンの添加量が多いと硬くてもろくなるので破断面が大きくなる．柔らかい鉄の場合，せん断面が大きく，ダレ，カエリが大きい．スリット，打ち抜きにあたってはダレ，カエリが小さくなるような工夫がされている．また，切断によるひずみが残ることにより磁気特性が低下する．そのため4.5節で述べるひずみ取り焼鈍を行う．

■ 4.3.2 打ち抜き

鉄心（コア）を製造するために電磁鋼板をコアの形状に1枚ずつ切り抜く．各種のモーターのコア形状の例を図4.10に示す．モーターの設計および巻線方法によってさまざまな形状のものが使われている．

コアの形状に打ち抜く方法として次のような方法がある．

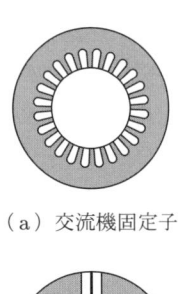

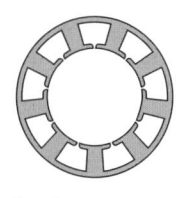

（a）交流機固定子　　（b）誘導機回転子　　（c）ブラシレスモータ

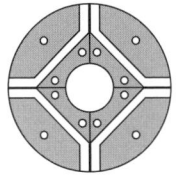

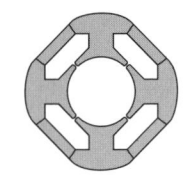

（d）IPMの回転子　　（e）分割コア　　（f）分割コア

図 4.10　コア形状の例

[*1] さけ目，ひび割れを工業界ではこうよぶ．

① プレス機による打ち抜き
② レーザ切断
③ ワイヤカット放電加工

レーザ切断やワイヤカット放電加工は試作や少量生産の場合に用いられる．まずプレス機による打ち抜きについて説明する．

打ち抜きとは前述したように下型（ダイ）の上にある鋼板を上から上型（パンチ）でプレスすることにより型の形状に合わせて切り抜くことである．ブランキングとよばれる．打ち抜きはワンパンチと順送りがある．ワンパンチとは金型をコアそのものの形状にして，1回のプレスで打ち抜く方法である．打ち抜くには材料を有効に使う必要がある．図 4.11 に示すように無駄の少ない打ち抜きができるような型を用いる．ワンパンチは小型のモータコアであれば問題はないが，大きくなるに従って大型のプレス機が必要になる．そこで，よく用いられているのが図 4.12 に示す順送り方式である．図に示したのはアウタロータ型の固定子の順送り方式の打ち抜きの一例である．すべての打ち抜きを何段階かに分けている．まず，①で基準となる穴をあける．これが以後の位置決めの基準位置となる．②でスロットを抜く，③では積層のカシメをつける，④でシャフト穴を打ち抜く．⑤で外周を打ち抜く．⑥でコアを取り出す．このように何回かのパンチを順次行うことにより最終形状のコアを打ち抜く．モータコアの打ち抜きは電磁鋼板が硬いことおよび高精度の仕上がりが要求されることなどから金型への要求が厳しい．順送りの金型は数千万円することもある．

ノッチング（切欠き）とは材料の一部分のみを切り欠くプレス工法である．図 4.13 に示すようにリング状に打ち抜かれた材料にスロット形状の金型を用い

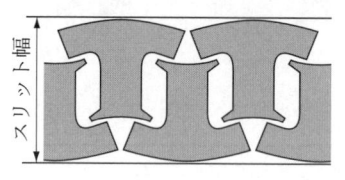

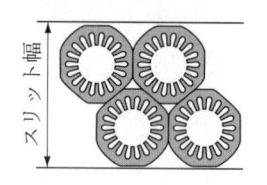

（a）分割コアの打ち抜き　　（b）ステータの打ち抜き

図 4.11　打ち抜きの例（ワンパンチ）

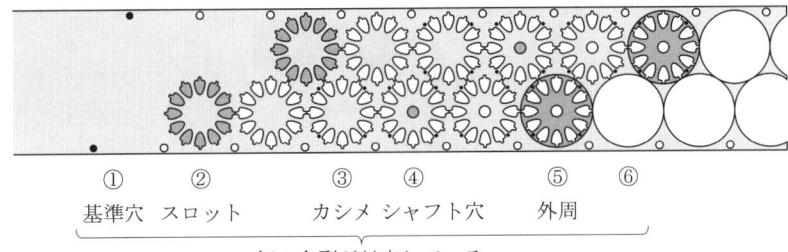

①　　②　　　③　④　　　⑤　　⑥
基準穴　スロット　カシメ シャフト穴　外周

6個の金型が対応している

図 4.12　順送り方式（黒田精工（株）提供）

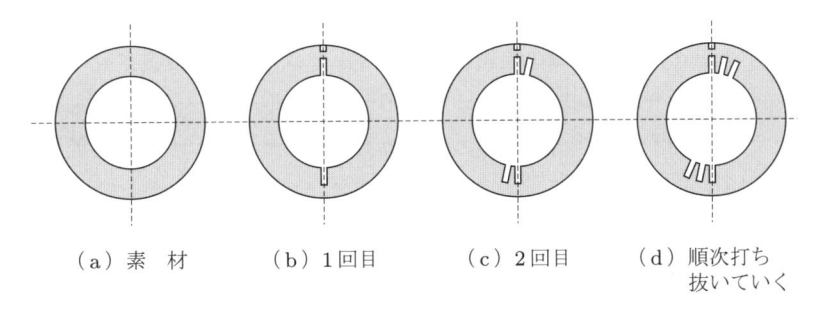

（a）素　材　　（b）1回目　　（c）2回目　　（d）順次打ち
　　　　　　　　　　　　　　　　　　　　　　　抜いていく

図 4.13　ノッチングによる打ち抜き

て1スロット切り欠いては回転させるということを繰り返す．ノッチングは少量生産する場合や試作に用いられる．

　レーザ切断はレーザにより電磁鋼板を局部的に溶解させ，切断する方法である．レーザ光と同軸にアシストガスを吹き付けて溶解した金属を排出する．図 4.14 に示すようにレーザ光はレンズで集光され鋼板を加熱する．アシストガスに酸素を使うと溶解した金属が酸化され，酸化物になる．酸化物はレーザ光の吸収が良いのでさらに発熱し，溶解が進む．また，アシストガスの流れにより溶解物は反対方向に排出され，切断が完了する．このとき排出されるものをドロスという．ドロスは溶融再凝固物であり，切断面に付着するとバリとなる．また，レーザ切断は電磁鋼板が局部的に高熱になるので絶縁皮膜が損傷を受ける．ただし，切断面は熱にさらされるので切断後は一種の焼鈍を受けたようになり，磁気的特性の劣化は少ないともいわれている．

4 鉄心と鉄心材料

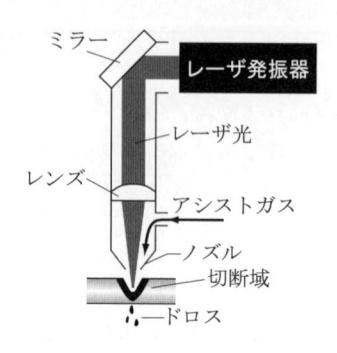

図 4.14 レーザ切断の原理

　ワイヤカット放電加工は，金属の細いワイヤとコアの間で放電させて糸鋸のように輪郭をくりぬく切断法である．ワイヤを巻き取りながら，これを一方の電極とし，被加工物を他方の電極として放電させる．ワイヤカット放電加工の原理を図 4.15 に示す．ワイヤカット放電加工ではアーク放電の熱により切断するが，被加工物は加工液中にある．加工液がアークの熱により沸騰膨張することにより溶解物を取り去る．被加工物を X-Y 軸に移動させることで 2 次元形状にくりぬいて加工することができる．加工の切り代はワイヤの径 (たとえば 0.25 mm) よりわずかに大きい程度に収まるので高精度で切断できる．ただし切

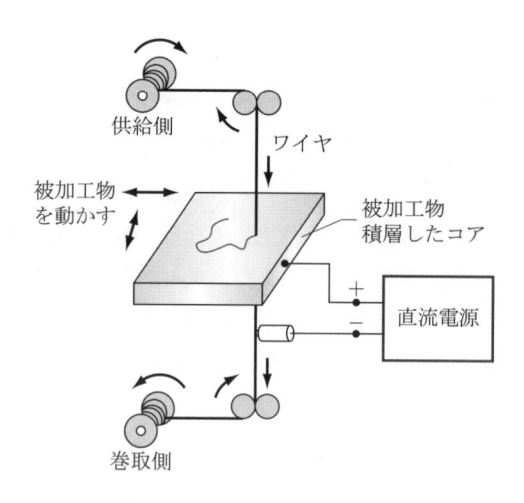

図 4.15 ワイヤカット放電加工の原理

断速度は非常に遅い．ワイヤカット放電加工は積層してから切断することも可能である．試作でよく用いられる．

4.4　積　層

打ち抜いたコアは積層される．積層の前に打ち抜きによる残留応力を取り去るために焼鈍する場合もある．コアの積層については電磁鋼板そのものの形状を考慮する必要がある．電磁鋼板の板厚には公差がある．薄いもの，厚いものが偏在すると同一枚数でも鉄心高さ（積厚）が異なってしまう．また板厚が不均一な場合には図 4.16 に示すように鉄心高さが不均一になる．このようなことを防ぐために，積枚数の半分を 180° 回転させたり，1 枚ずつ順次ずらして積むなどの工夫がされている．

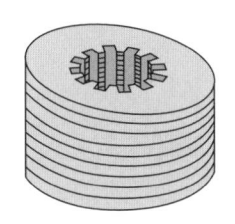

図 4.16　板厚が不均一の場合

さらに近年では，無方向性電磁鋼板であっても圧延方向が磁気特性に影響することがわかってきた．そのため磁気特性を均一にするためにも積み方に工夫が必要である．また，打ち抜きによるカエリ（バリ）の影響を防ぐため，裏表反転させて積むことも行われる．

積層した鋼板を固定するには種々の方法がある．コアにあらかじめボルト穴をあけ，ボルトで固定する方式を図 4.17（a）に示す．同様にコアの穴にピンを通し，ピンの先端をかしめて[*1]固定するリベット方式もある．リベット方式を図（b）に示す．「コの字」形のクランプを外形側にはめ込んで固定するクランプ方式を図（c）に示す．これらの方式では真鍮などの非磁性体の板をコアの上下に配置し，それにより挟み込んで均一に圧力がかかるようにすることもある．

*1 接合部分にはめ込まれた爪や金具を工具で打ったり締めたりして接合部を固くとめる．ハトメ．

4 鉄心と鉄心材料

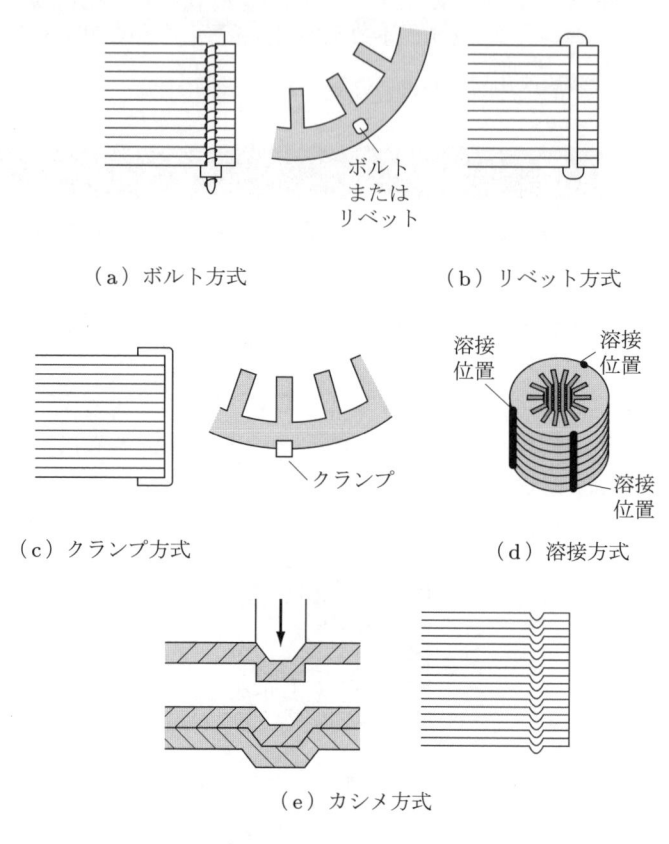

図 4.17　コアの固定方法

(a) ボルト方式
(b) リベット方式
(c) クランプ方式
(d) 溶接方式
(e) カシメ方式

　溶接方式は，コアの外周部を何か所か溶接する方式である．図(d)に示す．溶接する場合，コアには圧力をかけた状態で行う．あらかじめ溶接のビード[*1]や溶け込みを考慮した形状をコアの外周部に作っておく．溶接はアーク溶接が用いられる．アーク溶接の熱により磁気特性が劣化することから，近年はレーザのスポット溶接で鋼板数枚を溶接する方法なども開発されている．ボルト穴や溶接位置はコアの磁束の流れを考え，影響の少ない位置でなくてはならない．

　かしめ方式は，図(e)に示すように打ち抜きの際の金型で突起を作り，プレスで押し付けて固着させる方式である．これは打ち抜きの金型内部で積層し，

[*1] 溶接により溶接金属で盛り上った部分．

そのままコアを製造することができる．金型内積層とよばれ，最近の量産モーターで用いられている．

溶接，かしめなどにより積層した場合，その部分の絶縁皮膜が損傷し，積層した板間で短絡する可能性があることに注意を要する．

このほか，接着による積層も行われる．接着鋼板とよばれるあらかじめ熱硬化樹脂をコーティングしてある電磁鋼板が販売されている．これを積層後加熱して固着させる．一般的な電磁鋼板のコア間に接着剤を塗布する方法も行われている．

4.5　焼　鈍

焼鈍 (annealing) とは，加工の結果生じたひずみを取り除くための熱処理（焼きなまし）である．外力に対抗して発生する内部応力は外力が取り除かれた後も内部ひずみとして残る．これを残留応力がある状態という．残留応力が残っていると材料が硬化する．残留応力を取り除くために行うのが応力除去焼鈍（ひずみ取り焼鈍）である．一般的には焼鈍は材料を軟化させて加工しやすくするために行う．しかし，電磁鋼板の焼鈍の目的はひずみにより低下した磁気特性を回復させることにある．

電磁鋼板の製造過程においては圧延時の応力除去のほかに脱炭，結晶粒の制御のために何回か焼鈍を行う．製鉄所で行う焼鈍処理は1週間かかるものもあるという．ここでは，そのような鉄鋼メーカーで行う焼鈍ではなく，鉄心の製造時に行う焼鈍について述べる．

鉄心の製造では切断，打ち抜きの過程で電磁鋼板内部に機械的ひずみが生じる．これによって劣化した磁気特性を回復するために行うのがひずみ取り焼鈍である．一般的には通常の工業加熱の温度上昇速度程度で所定の温度まで加熱させる．無方向性電磁鋼板では絶縁皮膜を損傷せずに磁気特性を回復する温度は750℃程度といわれている．所定の温度でどの程度の時間保持するかは加工の程度により異なる．このような温度まで加熱するので，たとえば油が付着していると鉄が炭素と結合し（浸炭），電気抵抗が小さくなる．また，酸化反応も生じてしまう．焼鈍前に真空引きして脱脂したり洗浄することも必要である．

4 鉄心と鉄心材料

また，雰囲気ガスを窒素ガスにするなど，加工コストは高くなる．焼鈍後の冷却は通常の冷却であるが炉内で徐冷するような場合もある．焼鈍の温度プロファイルの例を図 4.18 に示す．ある程度の温度まで上昇させて汚れやガスなどを除去する（油焼き）．その後，焼鈍温度まで上昇させる．焼鈍温度ではある時間保持し，そのまま冷却する場合もあれば，それよりやや低い温度で材料の調質をする場合もある．また冷却はそのまま炉内で徐冷されることが多い．

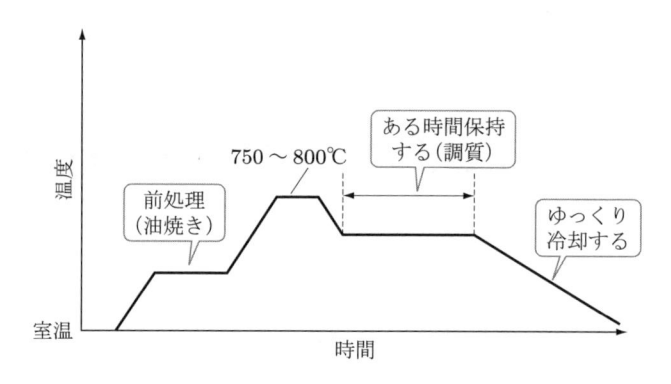

図 4.18 焼鈍の温度プロセス

積層後の鉄心を焼鈍する場合，ブルーイング焼鈍も行われる．ブルーイングとはブルーに色を付けるという意味で，加熱により表面に酸化皮膜をつけることである．コアの場合，処理後の色から黒染めなどともよばれる．電磁鋼板の切断面の絶縁を回復し，酸化皮膜により耐食性を上げるために行う[*1]．誘導モーターのかご形回転子をアルミダイキャスト[*2]で製造する際には回転子のバーと切断面との絶縁が必要である．鉄心の切断面に酸化皮膜が必要である．

4.6　その他の鉄心材料

これまで述べた電磁鋼板以外にも鉄心に使える軟磁性材料がある．常温で磁性がある金属は鉄，コバルト，ニッケルの三種類に限られる．そのため，軟磁

[*1] ブルーイングでは水蒸気などの雰囲気ガスが用いられる．雰囲気ガスはでき上がる皮膜に対応したものを用いる．
[*2] アルミを溶融し型に圧力をかけて注入する鋳造法．

性材料はこの三種の材料そのものか，いずれかが配合されている合金ということになる．

■ 4.6.1 SMC

近年，SMC (Soft Magnetic Composite：軟磁性複合材料) とよばれる粉体を使った圧粉磁心は高性能化が進んでいる．従来のダストコア (4.6.4 項で述べる) とは異なり，バインダの量が極端に少ないため密度が高い．そのため，リアクトルおよびモーターのコアとして利用されるようになってきた．SMC とは約 $100\,\mu m$ 程度の鉄または鉄系の粉末の表面を絶縁皮膜で覆った粉体を圧縮成形して製造するコア材料である．SMC の概要を図 4.19 に示す．このような粉体を圧縮固化してコアとして用いる．SMC をコアとするための工程を図 4.20 に示す．材料を型に入れて圧縮成形する．混練したバインダを熱で硬化させて固着させる．同一形状の電磁鋼板を積層する金太郎あめ状の鉄心と異なり，3 次元

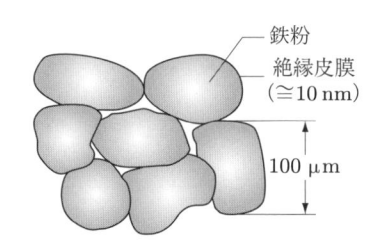

図 4.19 SMC 圧粉磁心

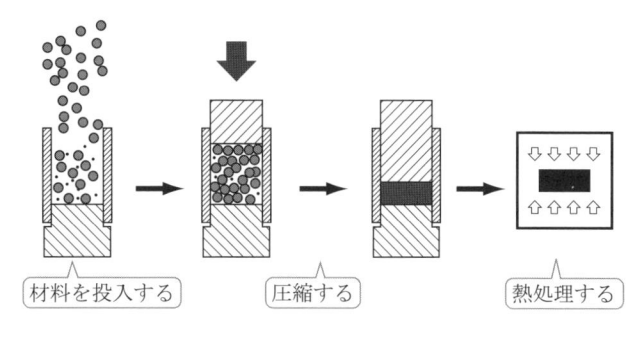

図 4.20 SMC の製造方法

的な形状のコアを容易に製作することができる．粉体間が絶縁されているため，うず電流の流れる長さが粉体の直径だけとなる．したがって，うず電流損失が極めて小さくなる．そこで高周波のリアクトル，高速のモーター用コアとして用いられている．

現在，適用が広がっている圧粉磁心は純鉄の粉末を用いたものが多い．しかし，絶縁層が介在するため電磁鋼板に比べて密度が低い．そのため，図 4.21 に示すように飽和磁束密度，透磁率とも電磁鋼板より低いのが現状である．

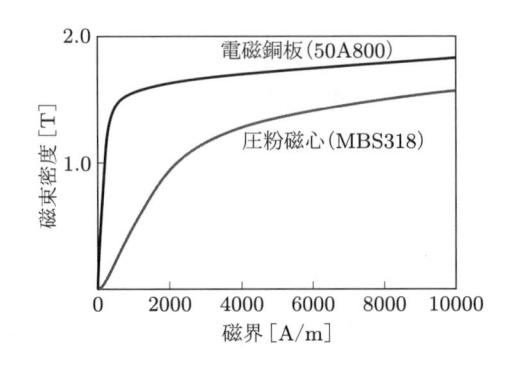

図 4.21 圧粉磁心と電磁鋼板の比較

4.6.2 ソフトフェライト

ソフトフェライトは軟磁性特性をもつフェライトである．これに対し，永久磁石に用いるフェライトはハードフェライトとよばれる．ハードフェライトと同様に主原料は酸化鉄であるが，亜鉛系の材料が配合されている．

フェライトは抵抗率が高く，うず電流損失がない．しかし，飽和磁束密度が低いためモーターの鉄心にはなかなか使えない．

4.6.3 アモルファス合金

アモルファス (amorphous) とは非晶質と訳される．金属の結晶は規則的な配列をしており，金属によって固有の配列がある．しかし，溶融金属を急冷すると結晶構造をもたずに固体になる場合がある．これをアモルファス金属という．鉄，ケイ素，ホウ素の合金をアモルファス化すると良好な磁気特性が得られ

る．これが軟磁性材料に使われている．アモルファス合金は粉体にしてダストコアに使われることもある．しかし，鉄心には溶融した合金をロールに吹き付けてアモルファス状態で固化させたアモルファスリボン（箔帯）が一般に用いられる．アモルファスリボンは厚さ約 20 μm 程度であり，巻鉄心として積層される．巻鉄心の例を図 4.22 に示す．アモルファスの特徴は鉄損が小さいこと，透磁率が高いことである．一方，飽和磁束密度はやや低い．

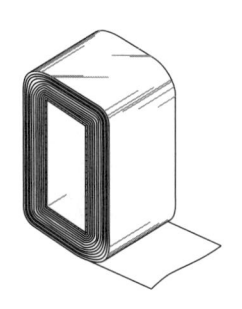

図 4.22　巻鉄心

　アモルファスを使った場合，リボンを巻鉄心にすればある程度の強度が得られるが，そもそもがリボンである．アモルファス鉄心は複雑形状の構造部材としての鉄心に用いるには向いていない．

4.6.4　その他の合金系鉄心材料（ダストコア）

　磁気特性の優れた合金系の材料は一般的に硬く，もろい．したがって機械加工は難しいが，粒子に粉砕することは容易である．そこで粉体を固めたコアをダストコアと古くからよんでいる．4.6.1 項で述べた SMC もダストコアの一種であるが，バインダの量が極端に少ないことから本書では別に扱っている．ここでは，いわゆる従来のダストコアに使われる合金系の材料について述べる．

　パーマロイは鉄とニッケルの合金で透磁率が高いことを特徴としている．鉄とニッケルの合金ではニッケルが 78.5％になると初磁化透磁率が最大となる．これを 78 パーマロイ，パーマロイ A とよぶ．これよりニッケルを減らすと透磁率は下がるが飽和磁束密度が高くなる．ニッケル 45％の 45 パーマロイはパー

4 鉄心と鉄心材料

マロイBとよばれている．パーマロイは高い透磁率を生かして磁気ヘッドによく使われる．

パーメンジュール (permendur パーメンダーとよばれることもある) は鉄とコバルトがほぼ同じ割合の合金である．軟磁性材料では最高の飽和磁束密度をもつ．飽和磁束密度が 2.4 T である．また，比透磁率も 20000 と高い．高磁力への応用が可能である．しかし磁歪が大きいことが欠点である．

センダストは鉄，ケイ素，アルミニウムの合金である．仙台（東北大学）で開発されたダストコア用材料ということで命名された[*1]．センダストも高い透磁率が特徴であり，磁気ヘッドに使われる．

以上，述べたような各種の軟磁性材料をまとめたものを表 4.3 に示す．

表 4.3　軟磁性材料の比較

	飽和磁束密度 [T]	初磁化透磁率	比抵抗 ($\mu\Omega\,cm$)	キュリー点 [°C]	磁歪 ($\times 10^{-6}$)
純　鉄	2.2	150	10	770	15
電磁鋼板 (3% Si)	2	1000	45	750	2
電磁鋼板 (6.5% Si)	1.8	3000	82	690	0.2
鉄系アモルファス	1.56	200〜8000	137	334	27
コバルト系アモルファス	0.6〜1.00	10,000〜1,000,000	140	400	0
SMC	1.8	595	製法に依存		
センダスト (Fe-Si-Al)	1.10	30,000	80	500	0
マンガン系フェライト	0.4	1,500〜10,000	10^3	130	
45 パーマロイ (Ni-Fe)	0.9	2,500	50	500	20
78 パーマロイ (Ni-Fe)	0.8	20,000	55	400	0
パーメンジュール (Fe-Co)	2.4	1,200	26	980	150

[*1] センダストを製造するために創立された会社が現在の NEC トーキンである．

COLUMN

テスラ 1 枚

　割り勘のときに「今日は諭吉 1 枚」だとか，少し前なら「新渡戸 1 枚」など言う人がいますね．お札に描かれた肖像の人名を言うことで直接金額を言わないようにしているのですね．奥ゆかしいです．セルビアでは磁束密度の単位に名前が使われているテスラの肖像がお札に使われています．お札には磁束密度の式まで書かれています．テスラはセルビアの出身なのです．首都ベオグラードにはニコラ・テスラ博物館もあります．では，セルビアの人は「今日の割り勘はテスラ 1 枚」と言うのでしょうか．言わないと思います．なぜなら，この紙幣 100 ディナールは日本円で約 100 円相当なのです (2012 年現在)．一杯やって，割り勘が 100 円なら大歓迎ですが．

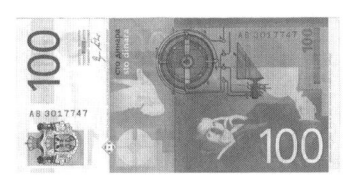

セルビアの紙幣に描かれたニコラ・テスラ
(協力：セルビア共和国大使館)

5 巻線材料

　モーターは，電流を流すことにより電気エネルギーを機械エネルギーに変換している．電流は金属などの導体に流す．しかし，導体として金属をそのまま使うことは少ない．中小型のモーターでは導体の表面に絶縁物を焼き付けたエナメル線が使われる．また導体の周囲を絶縁物で被覆した横巻線も使われる．そのため単に導体だけを考えるのではなく，被覆された絶縁物も合わせた巻線材料として考える必要がある．モーターなどの電気機器に使われる電線をとくにマグネットワイヤとよぶ．本章では，マグネットワイヤを中心に述べてゆく．

5.1 導　体

　巻線に電流を流すための導体に用いる材料を導電材料という．導電材料には銅，アルミニウムおよび銅合金が使われる．銅の導電率は不純物の濃度に影響されるため，導体に使われる銅は一般の電気銅よりもさらにグレードの高いタフピッチ銅とよばれる純度99.9％以上の銅を用いている．なお，タフピッチ銅は酸素が0.02〜0.05％含まれている．さらに導電率を引き上げるためには酵素をほとんど含まない無酸素銅が使われる．

　銅は資源的な問題があり，価格が不安定である．近年はコスト面からアルミが採用されることもある．銅やアルミは柔らかいので巻線（コイル）として使いやすい．一方，導電材料を構造物としても使う場合には強度が必要であり，真鍮[*1]が用いられる．さらに200℃以上の高温で用いるモーターでは銀入り銅合金やニッケル線なども用いられる．

　導電材料は抵抗率が低く，電流を流しやすいことが要求される．銅の抵抗率は20℃において$1.72\mu\Omega cm$である．しかし，銅は金属なので温度とともに抵抗率が増加する．75℃において銅の抵抗率は$2.1\mu\Omega cm$となり，約1.2倍に増加

[*1] 黄銅ともいわれる．銅と亜鉛の合金．

する．巻線抵抗値は温度により測定値が変化してしまう．そこで，巻線抵抗は基準温度に換算して表示することにしている．基準温度は耐熱クラス[*1]によって異なる．銅の場合，温度 t [℃] で測定した巻線抵抗 R_t [Ω] を基準温度 T [℃] における抵抗値 R_T [Ω] に換算するためには次のように求める．

$$R_T = R_t \frac{234.5 + T}{234.5 + t}$$

アルミの抵抗率は 20 ℃ において $2.6\,\mu\Omega\mathrm{cm}$ である．アルミの場合，基準温度に換算するには次のように係数が異なる．

$$R_T = R_t \frac{225 + T}{225 + t}$$

このほかに導電材料に要求される特性として，巻線加工が容易なことがあげられる．応力が与えられると，材料は内部でひずむ．応力が取り除かれればひずみはなくなる．これを弾性 (elasticity) という．弾性率が高く，元の形に戻るような材料では巻線加工できない．応力が取り除かれてもひずみが残留し，変形する場合，これを塑性 (plasticity) という．塑性によりコイルの形に変形すると，その形が残るのである．また，引っ張り強さが大きいことも必要である．引っ張り強さとは破断しない最大応力である．しかも，破断の寸前の伸び（変形量）が小さい必要がある．これはコイルを密に巻くために引っ張りながら巻くためである．さらに，接続が容易なことも必要とされる．コイルは相互に接続したり，他のリード線と接続される．導電材料は，はんだ付けや溶接が可能でなくてはならない．

近年，銅価格の高騰から導体にアルミを用いることもある．アルミは銅と比較して，抵抗が大きく柔らかい．特性が同等になる銅線とアルミ線の太さの比較を表 5.1 に示す．アルミの場合はんだ付けが難しい．それはアルミの表面は強固な酸化アルミニウムで覆われているからである．酸化アルミニウム（アルマイト）は融点が非常に高く (約 2000 ℃)，数 100 ℃ の溶融はんだでは溶かすことができない．アルマイトを取り除かないとはんだ付けできない．そのため，酸化アルミニウムに作用する特殊なフラックス[*2]を用いてはんだ付けすること

[*1] 6.2 節参照
[*2] フラックスは，はんだ付けされる金属表面の酸化膜を化学的に除去し，はんだ付け可能な金属表面にするために用いる材料．

5 巻線材料

表 5.1 銅線とアルミ線の比較

諸元	銅線	アルミ線
抵抗値が同一の線の直径	1	1.27
同一の引っ張り荷重の直径	1	1.73
同一仕様（線径，巻数）のコイルの重量	1	0.3

が一般的である．アルミ線のはんだ付けを容易にするためにアルミ線の表面に銅の被覆をつけたアルミクラッド線が開発されている．この場合，銅のはんだ付け工法で接合できる．

5.2　マグネットワイヤ

モーター，変圧器，発電機などのコイルに用いられる電線を一般にマグネットワイヤとよぶ．これは電気機器が電気エネルギーと磁気エネルギーを相互に変換する際に電流を流すための電線なので，そうよばれていると思われる．規格[*1]では「電気機器の巻線及び配線に用いるエナメル線と横巻線の総称」と規定している．ここでいうエナメル線とは導体に樹脂，絶縁塗料を焼き付けた線であり，横巻線とは導体の長さ方向に対して繊維，テープなどをらせん状に巻きつけた線である．中小容量のモーターの多くがエナメル線を使用しているので，ここではエナメル線を中心に述べてゆく．エナメル線の基本構造を図 5.1 に示す．

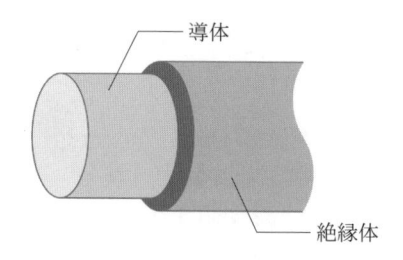

図 5.1　エナメル線の基本構造

[*1] JIS C 3053 巻線通則

5.2.1 マグネットワイヤに要求される性能

マグネットワイヤは多種多様な電気機器に用いられるため，その種類が極めて多い．それぞれの性能も異なっている．マグネットワイヤの性能を示す項目について以下に説明してゆく．これらのいずれもが満たされる万能なマグネットワイヤはない．したがって，使用条件や用途からマグネットワイヤが選択されることになる．

(1) 絶縁皮膜の厚さが薄く均一であること

エナメル線の絶縁皮膜の厚さは巻線の太さにより異なる．仕様では最小皮膜厚さとして表示されている．ものによっては標準皮膜厚さを決めているものもある．なお，皮膜の厚さには厚い順に0種，1種，2種という区分がされている（5.4.2項参照）．

絶縁皮膜の均一性はピンホールとよばれる膜の欠損の数で示される．たとえば，5mあたりピンホールは5個以下である，などの評価がされる．なお，巻線加工による曲げなどで皮膜にひずみが生じると皮膜にひび割れや亀裂が生じることがある．そこが水分などと作用してピンホールを発生することがある．これをクレージング現象という．したがって，巻線単体の性能はもちろん重要であるが，巻線作業中の取り扱いも絶縁皮膜に影響することに注意を要する．

(2) 絶縁性がよいこと

エナメル線の大きな特徴は皮膜が薄い割に破壊電圧が高いことである．絶縁破壊電圧は皮膜の種類により異なるが，ほぼ $200\sim300\,\mathrm{V/\mu m}$ と考えてよい．絶縁破壊試験は2本の線をより合わせて（ツイスト）行うので皮膜厚さの2倍に相当する電圧になる．すなわち $10\,\mu\mathrm{m}$ 程度の膜厚のワイヤでは数kVの絶縁破壊電圧である．このほか絶縁性能としては絶縁抵抗も考える必要がある．

(3) 曲げ，伸び，擦れなどに機械的に強いこと

皮膜の曲げ，伸びに対する強さは可とう性とよばれる．それぞれ巻きつけ試験，伸長試験を行い，試験後の亀裂の有無を評価する．また(1)で述べたように曲げなどによるひずみによるクレージング現象の発生の有無は伸長試験後に薬品などに触れさせてピンホールの発生の有無を確認する．なお，クレージング現象は加熱により残留応力を取り去れば発生しにくくなる．そのための巻線後に加熱処理を行うことがある．この処理をキュアという．

摩擦に対しては摩耗試験を行い評価する．巻線作業では周囲との摩擦が必ず生じる．そのためエナメル線表面に潤滑層を焼き付けた自己潤滑エナメル線も開発されている．

(4) 耐熱性があること

エナメル線の皮膜は有機絶縁材料であり，耐熱寿命がある．皮膜の種類により耐熱寿命が異なる．皮膜種類と耐熱寿命の例を図 5.2 に示す．ここに示したのはマグネットワイヤ単体での耐熱寿命である．マグネットワイヤはワニスなどの他の絶縁材料と組み合わせて使われる．次章で述べるように耐熱寿命はそれぞれの材料の耐熱性ではなく，絶縁システムとして組み合わせを考える必要がある．

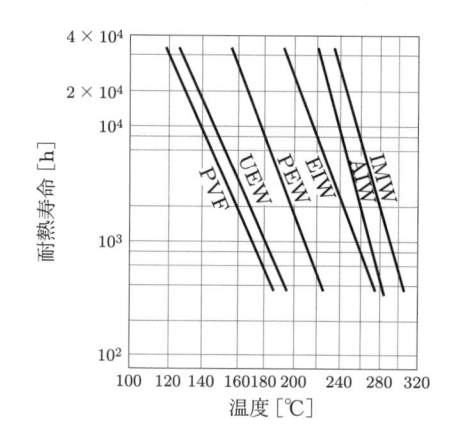

図 5.2 エナメル選の耐熱寿命の例

(5) 溶剤，薬品に耐えること

マグネットワイヤは各種の溶剤や薬品の雰囲気で使われることがある．これらへの耐性が必要である．耐溶剤性は溶剤に浸し皮膜をひっかいて，はがれやすいかどうかで評価される．アルコール系，アルカリ系などに弱い皮膜がある．またワニスの溶剤にも注意する必要がある．さらに耐油性も要求されるが耐油性の評価は難しい．

冷蔵庫，エアコンなどのコンプレッサに使用されるハーメチックモーターは冷媒中で運転されるため，耐冷媒性が要求される．冷媒は浸蝕性が高く，皮膜を劣化させやすい．耐冷媒性を評価するにはマグネットワイヤを一定時間冷媒

に浸し，その後の皮膜の硬さ（鉛筆硬度），および泡状のはがれ（ブリスタ）の発生を確認するなどの評価が行われる．

(6) 耐水，耐湿性があること（水により加水分解しないこと）

マグネットワイヤの皮膜は有機の高分子材料である．高分子材料は加水分解をするという性質がある．長期にわたる加水分解により絶縁破壊電圧が低下する．そのため高温高湿の状態で密封し，一定時間経過後の絶縁破壊電圧の低下を評価する．また食塩水雰囲気で電流を流すと劣化が加速される．そのため課電耐水性という評価も行われる．

(7) 各種の絶縁材料と組み合わせられること

マグネットワイヤはワニスなどの各種の絶縁材料と組み合わせて使われる．ワイヤ単体での絶縁性能がワニスを塗ることにより低下する場合もある．また，巻線の際の摩擦，応力などにより皮膜が機械的に劣化してしまい，その後のワニス処理により化学的，物理的に劣化することがある．そのため，モーターとして各種の絶縁材料と組み合わせて用いられることが必要である．

5.2.2 マグネットワイヤの種類

一般的なマグネットワイヤの種類と性能の概略を表 5.2 に示す．なお，ここで示した EAW（ポリエステルイミド–ポリアミド線）はダブルコートとよばれている線である．ダブルコート線の構造を図 5.3 に示す．ダブルコート線は自己潤滑線ともよばれる．皮膜の表面に摩擦係数の少ない層がコーティングされている．一般的に潤滑層は絶縁層よりもグレードが高い材料を用いる．

自己潤滑線は高速で巻線するときの損傷を防ぐために用いられる．なお，潤

ポリアミドイミド ——（導体）—— ポリエステルイミド
（潤滑がよい） （絶縁性能が高い）

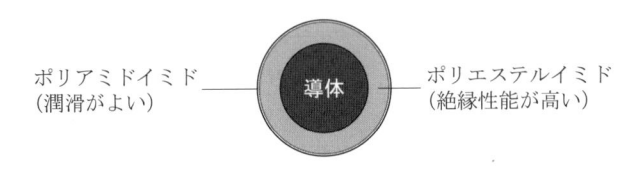

図 5.3 ダブルコート電線の構造

5 巻線材料

滑がよいということはワニスに対する濡れ性が悪くなる[*1]ということである．したがって巻線の作業性だけではなく，絶縁システムとしての組み合わせの検討も必要である．

近年，自己融着線が発売されている．自己融着線とは巻線したあとで融着処理をすることでコイルを固着できるマグネットワイヤである．自己融着線と融着処理を図 5.4 に示す．融着させるには溶剤法と加熱法がある．溶剤法はコイルの巻線前に溶剤に浸すか，巻線後溶剤を浸漬させることによりワイヤを融着させる．この方法は接着力を高めるために加熱を行うことが多い．加熱により接着反応を促進させ，さらに余分な溶剤を揮発させることができる．このこと

表 5.2 マグネットワイヤの種類と性能

記号	種類	指定文字	耐熱クラス[*2]	用途
PVF	ホルマール線	A	105	油冷変圧器
UEW	ポリウレタン線	B	130	電子機器用コイル，小型モーター
PEW	ポリエステル線	E	155	汎用モーター
EIW	エステルイミド線	H	180	汎用モーター，自動車電装品
EAW	エステルイミド－アミドイミド線	N	200	F 種モーター，自動車電装品，コンプレッサ
AIW	アミドイミド線	R	220	耐熱機器，電動工具，自動車電装品，コンプレッサ
PIW, IMW など[*3]	ポリイミド線	250	250	耐熱機器，原子力，航空機，IH コイル

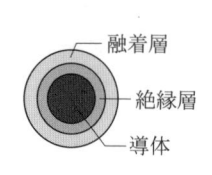

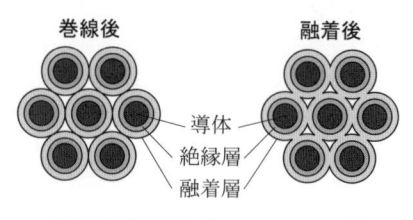

（a）自己融着線の構造　　（b）融着処理によるコイルの固着

図 5.4　自己融着線

[*1] 漏れ性が悪いということは表面がワニスをはじくということである．

は逆に，急激な加熱をしてしまうと未反応の溶剤が沸騰し，発泡してしまう可能性があることを示している．

加熱法は，一般的には通電加熱を行う．すなわち，巻線後のコイルに通電し，自己発熱を利用して融着させる．通電加熱はコイルの形状により温度むらができることがある．そのような場合や，コイルの抵抗値が通電に適さない値の場合には加熱炉で融着させる．なお，加熱時間は通常 10 分程度必要である．自己融着線を用いれば鉄心のないコアレスモーターが可能である．自己融着線はセメント線，ボンド線などともよばれている．

5.2.3 その他のマグネットワイヤ

近年の機器の小型化，高効率化の要求に対し，巻線の占積率 (7.6 節参照) を向上させるニーズが大きい．占積率を上げるために平角線が採用されることが多くなってきた．平角線の断面を図 5.5 に示す．絶縁皮膜を均一にするため角には R がつけられている．また，平角線を巻線すると縦横に皮膜の伸びと縮みの差が大きいので皮膜は機械的特性がよい必要がある．

平角線を使うと占積率を上げることができる理由を説明する．ここでは占積率を外径基準の面積比とする．図 5.6 に示すように丸線を整列巻した場合，約 78 % である．現実には難しいが，丸線を互い違いに完全に密着させたとしても理論上は約 90 % である．平角線は R の大きさにもよるが占積率は 95 % 程度が達成できる．しかしながら R を小さくすると皮膜の厚さを均一にするのが難しくなる．さらに可とう性 (p.77 (3) 項参照) が悪くなるので巻線作業が難しくな

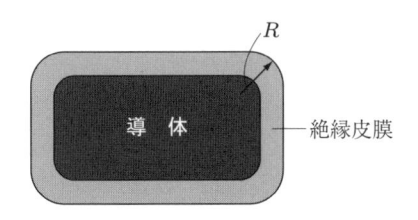

図 5.5 平角線の断面

---

*2 2 万時間の寿命がある温度を示す．
*3 各社の表現が統一されていない．

5 巻線材料

る．平角線の場合，高速で巻線することは少ないので潤滑性はそれほど高くなくてよいが曲げたときの絶縁皮膜のしわや亀裂が問題になる．従来，平角線は丸線を圧延加工して製造していた．現在は直接平角線に圧延するような新しい製造法が開発されてきている．平角線の性能は今後さらに進歩すると思われる．

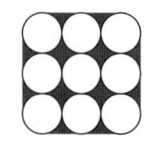

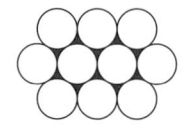

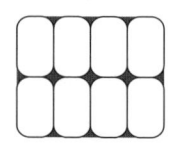

（a）整列巻 78％　（b）整列巻 90％　（c）平角線 96％

図 5.6　占積率の違い

リッツ線は何本ものマグネットワイヤをより合わせた線である．ドイツ語のlitzen（三つ編みする）が名称の由来である．電流の周波数が高くなると表皮効果が表れる．すなわち電流は導体の表面部分を流れ，導体中心部の電流密度が低くなってしまう．そのため高周波電流に対しては見かけ上の抵抗（交流抵抗）が高くなり，損失が増加する．リッツ線は高周波電流を流すために細い線を多数使って表面積を大きくしたマグネットワイヤである．リッツ線の断面を図5.7に示す．多数の細線をより合わせた単純な集合より線と集合より線をさらにより合わせた複合より線がある．リッツ線は単線の太さだけでなくより方によっても性能が変化する．最近では仕上がり形状が平角線となるリッツ線も出現してきている．

大容量機，高圧機ではエナメル線ではなく横巻線が使われる．丸線または平角線の周囲に絶縁物を巻きつけたものである．横巻線に使われる絶縁物としてガラス繊維，カプトンテープ（耐熱ポリイミドフィルム）[*1]，ノーメックステープ（耐熱ポリアミド紙）[*2]，マイカテープ（ポリエステルテープに集成マイカ[*3]を貼ったもの）などがある．

さらに容量の大きなモーターでは導体として金属材料をそのまま用いて，組み立て時に絶縁物を装着してゆく．

[*1] 米国 DuPont 社の商品名 (Kapton) 第 6 章参照．
[*2] 米国 DuPont 社の商品名 (Nomex) 第 6 章参照．
[*3] 雲母

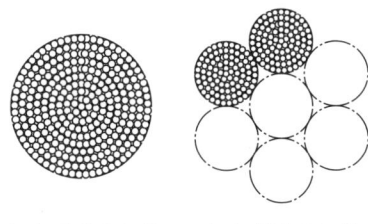

（a）集合より線　　（b）複合より線

図 5.7　リッツ線の断面

5.2.4　インバータ用のマグネットワイヤ

これまでのマグネットワイヤの開発は商用周波数で用いるモーター，発電機を中心として行われてきた．そのためとくに耐電圧は正弦波の電圧波形を前提と考えてきた．しかし，近年は多くのモーターがインバータで駆動されている．インバータの出力波形を図 5.8 に示す．図は 400 V 電源で用いるインバータの出力波形を示している．電源電圧が交流 400 V のとき，インバータの直流リンクの電圧 E は $E = \sqrt{2} \times 400 = 565$ V である．インバータのスイッチングサージ[*1]のピーク電圧は直流リンク電圧の 2 倍となる．したがって約 1.1 kV のサージが発生する (p.85 コラム参照)．

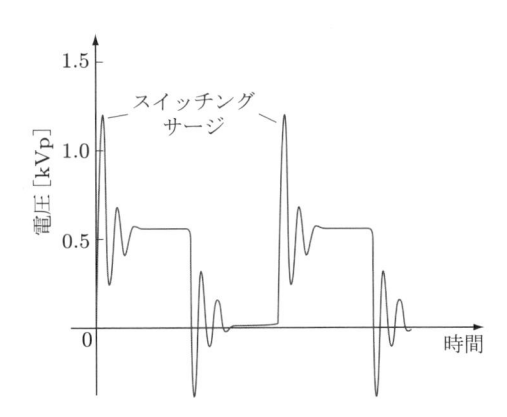

図 5.8　インバータの出力電圧波形

[*1] 瞬間的に発生する高電圧．インバータなどのスイッチングの瞬間に発生するものをスイッチングとよぶ．

そのため，図 5.9 に示すように巻線されたコイルの線間でごく小規模な放電が起こってしまう可能性がある．これを部分放電という (6.5.3 項参照)．部分放電とは電極間での放電ではなく，中間部での放電のことをいう．巻線の絶縁皮膜は誘電体なので誘電体の沿面放電が漏えい的に起こる．この放電に火花が生じればコロナ放電となる．コロナ放電では電界で加速された電子が放出されるので電子が絶縁皮膜を浸蝕する．しかしこの現象は，サージの短い時間だけ起こる現象である．単発のサージによる浸食ではすぐには絶縁低下とはならない．長期間繰り返されることにより皮膜を徐々に傷めてゆく．やがて絶縁破壊してモーターが故障する．

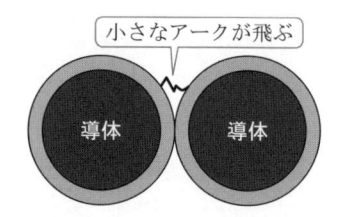

図 5.9 サージによる部分放電

一般にマグネットワイヤの部分放電開始電圧は 900 V といわれている．そのため，かつては 1.1 kV のサージが発生する 400 V 級インバータで長期間故障せずに使えるモーターはないといわれてきた．部分放電の開始電圧は皮膜の厚さに比例するといわれている．したがって，エナメル皮膜を厚くすれば部分放電しにくくなる．しかし，この方法は現実的ではない．

インバータ用エナメル線として発売されているエナメル線はエナメルに部分放電に耐性のある微粒子を添加したものである．添加するのは酸化金属などの無機物である．添加によりコイル加工性は低下する．近年は加工性の低下が少ないマグネットワイヤも発売されるようになってきた．しかしながら，耐サージ線は部分放電開始電圧を上げるのではない．インバータサージによる部分放電があっても損傷が少ないワイヤであることに注意を要する．

COLUMN

インバータサージはなぜ発生するのか

インバータから出力された PWM パルスは，ケーブルを伝送線路としてモーターまで伝播します．ここを伝送線路として考えるとサージが発生する原因がわかります．図には，モーターとインバータの間のケーブルを伝送線路として扱った場合の考え方を示しています．図（a）はインバータを送信側とした伝送線路です．この伝送線路はモーターの端子に接続されています．モーターの端子が伝送線路の受信側です．モーターのインピーダンスはケーブルのインピーダンスに比べてはるかに大きいので，受信端で回路は開放していると考えることができます．インバータがオンすると，パルスは図（b）のように進行波となり電圧と電流が右に向かって進みます．

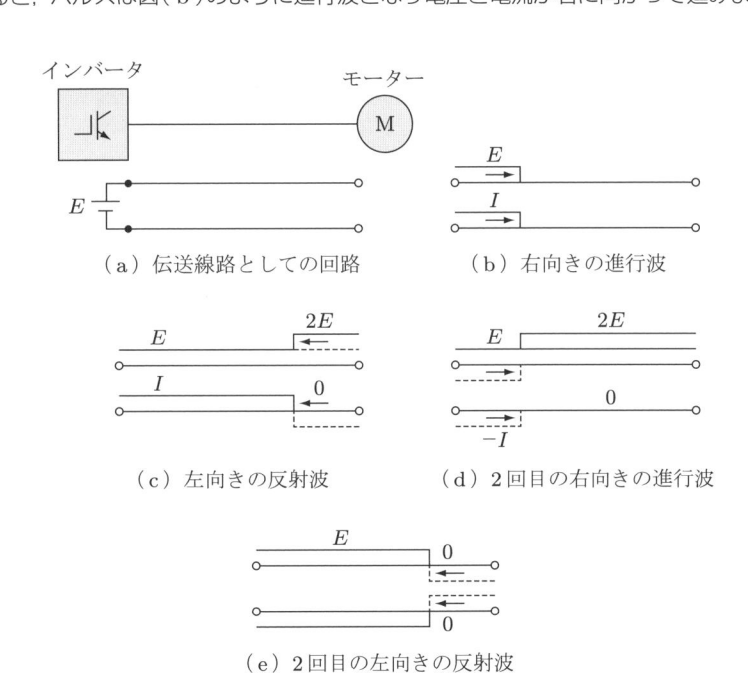

（a）伝送線路としての回路

（b）右向きの進行波

（c）左向きの反射波

（d）2回目の右向きの進行波

（e）2回目の左向きの反射波

進行波と反射波

モーターの端子に到達した進行波はそこで反射し，左向きに進みます．このとき電流は同じ大きさで向きが反対に流れますから，反射により伝送路の電流はゼロとなります．しかし，反射した電圧は同極性なので左向き進行波が加わるので 2 倍の振幅になります．伝送線路の進行波は電圧が $2E$ になってインバータの出力端子に

到達します．これを図 (c) に示します．
　ここで起こる 2 回目の反射のときにインバータの出力電圧が E のままであれば伝送線路の $2E$ に対しては $-E$ となります．したがって図 (d) に示すように $-E$ の右向き進行波となります．電流も $-I$ の電流が右向きに進行することになります．この進行波がさらにモーターで反射すると図 (e) に示すように電圧電流ともゼロになってしまいます．パルスはこれを繰り返すことになります．
　このように進行波として考えると端子電圧はパルスの振幅の 2 倍になると考えないといけないことになります．2 倍の電圧はパルスがケーブルを往復する時間だけ発生します．これがインバータにより発生するサージです．パルスは伝送線路の終端では反射するということです．

5.3　巻線の接続

　これまで述べたようにマグネットワイヤの皮膜は導体に密着しており，強靭でなければならない．しかしコイルに巻線したマグネットワイヤは他のワイヤやリード線などに接続する必要がある．通常，電線の接続ははんだ付けによって行われることが多い．しかし，マグネットワイヤは皮膜を剥離しないとはんだ付けができないものが多い．ここでは，マグネットワイヤの接続法を説明する．

■ 5.3.1　はんだ付け可能なマグネットワイヤ

　UEW（ポリウレタン線）は，エナメル被覆のままではんだ付け可能である．そのほか耐熱性が高いマグネットワイヤでも特殊なコーティングによりやや高温ではんだ付けが可能なものもある．しかしながら，一般的にマグネットワイヤのエナメル被覆に要求されている性能は被覆のままではんだ付けしたいという要求とは矛盾する．

■ 5.3.2　被覆の剥離

　一般のマグネットワイヤでははんだ付けするために被覆を剥離する．しかし，強靭な皮膜は簡単には剥離できない．皮膜剥離の方法を以下に示す．

(1) 剥離剤を用いる．これは比較的耐熱温度の低い PVF，PEW で用いられる方法である．しかし剥離するのに数分は必要である．

(2) 高温 (300〜400℃) の溶融アルカリに浸す．これは数秒で剥離できる．

(3) 機械的に剥離する．ブラシ状のものを回転させ剥離する．ストリッパーとよばれる．

(4) 機械的に剥離する．刃物，サンドペーパーで直接はがす．

(5) 高温で焼く．ガスバーナーで皮膜を燃焼させてしまう．

このようにエナメル皮膜を剥離するのは簡単なことではない．量産の場合，どの方法を用いるのかよく考える必要がある．

5.3.3 ヒュージング

皮膜を剥離させずにそのまま接合できる方法もある．ヒュージングとよばれる．ヒュージングはスポット溶接によるもの，レーザー溶接によるものなどがある．溶接はかなり高温を作り出すので皮膜が軟化点[*1]を超えてしまうのである．そのほか，銀ろう付け[*2]も高温なので(約700℃)直接接続が可能である．スポット溶接によるヒュージングの原理を図5.10に示す．近年，鉛フリー，はんだフリーという要求があり，ヒュージングによる接続が増えている．

（a）ヒュージング前　　　（b）ヒュージング後

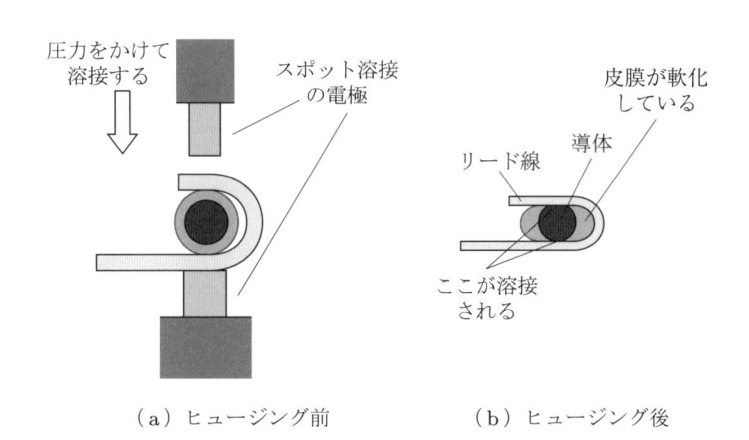

図 **5.10** ヒュージングの原理

[*1] 高分子材料では明確な融点がなく，温度上昇とともに軟化してゆく．密着した2本のワイヤに荷重をかけたときに短絡する温度を軟化点としている．

[*2] 金属の間に溶融したろうを入れて接着する方法をろう付けという (brazing)．銀を含むろうを使う場合，銀ろう付けという．ろうがはんだの場合，はんだ付けという．

5 巻線材料

5.4 巻線のサイズ

ここでは巻線のサイズの表示方法について述べる．

5.4.1 導体のサイズ

導体の太さはコイルの断面積となる．したがって巻線抵抗の値を決定する．そのほか，温度上昇の点からは電流密度を考慮しなくてはならない．エナメル線の導体は直径 (mmG) で表示される．一般の配線用のケーブル類はより線を使うことが多いので断面積で表示される．そのため平方ミリメートル[*1]が使われる．

しかし，海外では面積として平方インチやサーキュラーミル (1 サーキュラーミルは直径 1 ミル (1000 分の 1 インチ) の円の面積) などが使われることがある．この考え方をベースにして AWG (American Wire Gauge) で表示されることがある．また針金の太さを表す SWG (British imperial Standard Wire Gauge) が使われることもある．針金を番線でよぶのは SWG からきている．表 5.3 にそれらの表示の直径と断面積の換算を示す．また表 5.4 に AWG, SWG およびミリゲージ (mmG) の関係について直径 1mm 前後の比較を示す．

表 5.3 単位の換算

	平方ミリメートル [mm^2]	サーキュラーミル [cir.mil]	平方インチ [in^2]
平方ミリメートル [mm^2]	1	1973.5	0.001550
サーキュラーミル [cir.mil]	0.00050671	1	0.7854×10^{-6}
平方インチ [in^2]	645.16	1.2732×10^6	1

1 mil = 1000 分の 1 インチ = 0.0254 mm
1 cir.mil = 直径 1 mil の円の面積

[*1] 単位記号は (mm^2) であるが，たとえば，5 mm^2 を 5□ と書いて 5 スケ（スクエアミリ）とよぶこともある．

表 5.4　AWG，SWG，mmG の関係 (直径 1 mm 付近での比較)

ゲージ			直　径		面　積		
AWG	SWG	mmG	mil	mm	cir.mil	sq in	mm^2
−	−	1.2	47.24	1.200	2.232	0.001753	1.131
17	−	−	45.30	1.151	2.052	0.001612	1.040
18	−	−	40.30	1.024	1.624	0.001275	0.8226
−	19	−	40.00	1.016	1.600	0.001257	0.8107
−	−	1.0	39.37	1.000	1.550	0.001217	0.7854
−	20	−	36.00	0.9144	1.296	0.001018	0.6567
19	−	−	35.90	0.9120	1.289	0.001012	0.6530
−	−	0.90	35.43	0.9000	1.255	0.0009857	0.6362

■ 5.4.2　皮膜の厚さと外径

　エナメル線の皮膜の厚さは 0 種から 2 種までの 3 種類で示される．0 種がもっとも厚く，2 種が最も薄いものを示す．規格ではこのような規定しかされていない．これは導体の径によって厚め，薄めの寸法が異なるため数値的に規定していないのである．仕様では皮膜は最小皮膜厚さで表示される．

　巻線にどの程度電流を流せるかは導体の直径で決まる．しかし，限られた寸法のスロットにどの程度巻線を挿入できるかは巻線の外径によってきまる．そのため，マグネットワイヤは仕上がり外径が表示される．

　仕上がり外径は導体と絶縁皮膜の厚みを合わせた，実際にユーザーが測定できる見かけの直径である．仕上がり外径は標準値および最大値が表示される．図 5.11 に導体径 1 mm の場合の皮膜の厚さと仕上がり外径の例を示す．

最大仕上外径
0 種　114%
1 種　110%
2 種　106%

最小皮膜厚さ
0 種　3.6%
1 種　2.5%
2 種　1.7%

導体径
100%とする

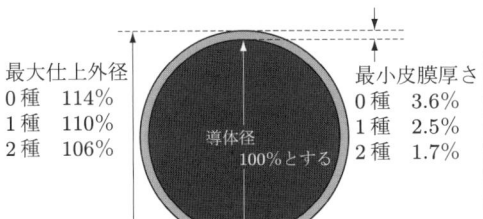

	最小皮膜厚さ [mm]	最大仕上外径 [mm]
0 種	0.036	1.138
1 種	0.025	1.102
2 種	0.017	1.062

（導体径 1 mm の場合）

図 5.11　エナメル線の皮膜厚さ

5.5 高温用巻線

モーターが実用化された初期には布，紙などの天然材料を主に使用したA種絶縁が使われてきた．有機材料の発展によりE種，B種など，高温でモーターを運転することができるようになってきた．これは同時にモーターが小型化してきたことを示している．モーターから生じる損失が同一であれば，モーターを小型化すると放熱面積が小さくなるので，その分だけ温度が上昇してしまう．材料の進歩がモーターの進歩につながってきたのである．一方，モーターをさらに高温で使いたいという用途も増えてきている．モーターを機械に組み込むビルトインモーターではモーターの周囲温度は機械の運転温度となってしまう．ここでは，これまで述べてきたマグネットワイヤが使用できない300℃以上の温度で用いる巻線について述べる．

■ 5.5.1 導体

通常のマグネットワイヤでは導体として銅を使用している．一般的に銅は200℃まで温度が上昇すると再結晶化が始まり軟化し始めるといわれている．軟化により引っ張り強さ，硬さが減少し，伸びが増大する．この性質を利用して行うのが焼鈍であり，通常350～500℃に加熱して銅の焼鈍（焼きなまし）を行う．焼鈍により塑性として残ったひずみがなくなり柔らかくなる．

また銅は空気中では酸化する．酸化により長期的には抵抗率が増加してしまう．このため銅は高温の空気中で使用することは難しい．耐熱性の高いマグネットワイヤは銅線に銀メッキ，ニッケルめっきなどをして酸化防止している．しかし，高温にさらされて銅とニッケルが完全に合金化してしまうと抵抗が増加してしまうといわれている．そのため，高温で用いる巻線の導体はニッケルのみを使用する．

ニッケルは抵抗率が銅よりほぼ1桁大きく，さらに温度係数も大きい．導体としては銅とはかなり異なるということに注意する必要がある．表5.5に耐熱性から見た導電材料の比較を示す．なお，表には参考のためにアルミも示している．

表 5.5　導体材料の比較

種類	耐熱温度（一般的）	密度	抵抗の温度係数*	体積抵抗率**
銅	200	8.93	2.28	1.72
ニッケル覆銅 (28%)	400	8.8		2.46
ニッケル	500	8.85	6.7	7.24
インコネル	800	8.42		103
アルミ		2.69	4.2	2.75

* $0\sim100°C$ の温度係数
** $\times 10^{-8}\Omega\cdot m$

■ 5.5.2　高温での絶縁材料と市販電線

　300°Cを超える高温では高分子系の有機材料を用いることができない．無機材料としてマイカ，ガラスなどが考えられるが，マイカ（天然雲母）は500°Cで分解を始める．低融点ガラスと称されるものは融点が350°Cしかない．無機材料といえどもすべて使用できるわけではない．

　さらに一般に無機絶縁材料は脆性をもつ．もろいのである．このことは加工，電磁振動などの外力の影響を構造的に受けてしまうということになる．したがって，巻線に用いる絶縁材料としては単なる材料物性ではなくケーブルとしての構成で検討する必要がある．市販されている高温用絶縁電線は大別すると次の三種類である．

　・MIケーブル (Mineral Insulated cable)
　・セラミック絶縁電線
　・無機繊維巻絶縁電線

以下にそれぞれについて述べる．

(1) MIケーブル

　MIケーブルは図5.12に示すような構造になっている．外側の金属シース内に酸化マグネシウムの粉末が充填されている．シース（さや）にはステンレス，インコネル，銅などが用いられる．高温用ばかりでなく，真空用，原子力用の用途向けとして市販されている．MIケーブルは導体の占積率が低いこと，また金属シース部にうず電流が発生することなど，モーターのコイルとしては都合の悪い点が多々ある．

5 巻線材料

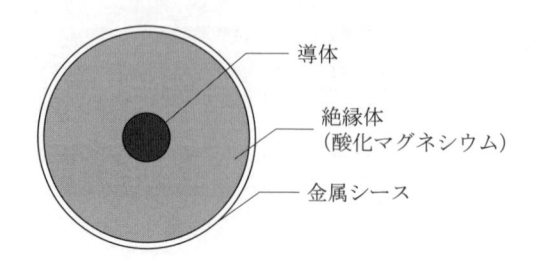

図 5.12　MI ケーブルの構造

(2) セラミック絶縁電線

セラミック絶縁電線は加工性を考慮してさまざまな構成のものが開発されている．

- (a) 焼付けや化学プロセスにより導体の周囲にセラミックの絶縁層を形成したもの．しかしセラミックには脆性があり，巻線加工には向いてない．
- (b) 未焼成のセラミック層を塗布し，巻線加工後に熱処理してセラミック化するもの．塗布層が巻線するときにはがれる可能性がある．
- (c) 未焼成のセラミック層の外側を保護のための有機ポリマー層で覆ったもの．有機ポリマー層は巻線時にはマグネットワイヤのエナメルの役割をして加工性を高める．巻線後に焼成することにより未焼成部分はセラミック化し，有機ポリマーは飛散する．図 5.13 に構造を示す．

なお，一般にセラミック電線はピンホールが多数あり絶縁耐圧に問題がある．

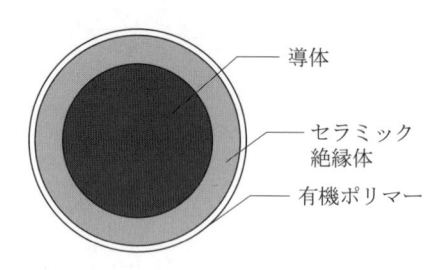

図 5.13　セラミック絶縁電線の一例

5.5 高温用巻線

(3) 無機繊維巻絶縁電線

無機繊維巻絶縁電線は5.2節で述べた横巻線の一種である．図5.14に示すように導体にガラス・マイカなどのテープを巻き，さらに外側をガラス繊維で覆ったものである．この構成は絶縁層の厚さが厚く，高電圧にも対応できる．

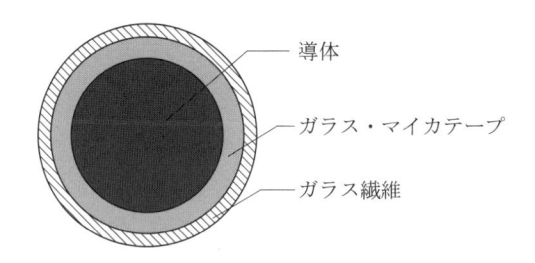

図 5.14 繊維巻絶縁電線

ヒーター用などで使用温度に応じて材料を選定したものが市販されている．オーブントースターなどの内部で見かける電線である．繊維で被覆されているため巻き加工には不向きである．

以上の比較を表5.6に示す．市販電線を用いる場合，加工性からは半焼成セラミック線が適しているが絶縁性能の点でセラミック線の採用には注意を要する．

表 5.6 高温用巻線の比較

線　種	セラミック	半焼成セラミック	無機繊維	MIケーブル
導体太さ/外径	88 %	82 %	80 %	33 %
可とう性	10〜20倍径	1〜4倍径	−	3倍径
ピンホール	あり	なし		

■ 5.5.3 高温用巻線の加工性

通常のモーターを製作する場合，コイルはスロットを使って形成される．そのためスロット間の渡りが巻数に応じて必要となる．それがコイルエンドを形成する．モーターの全長を短く，コイル抵抗を小さくするためにはコイルエンドを小さくするのが望ましい．そのため，コイルエンドで強い曲げ加工が発生する．前述の各種の電線の最小曲げのサイズ（可とう性）および無機絶縁材の

脆性による機械的絶縁劣化を考え，線材のとりまわし加工法，線径などを決定する必要がある．

　モーターのコイルを最終的に組み立てるにはワイヤとワイヤの接続が必要になる．常温の場合には接続は主に作業性の観点で検討されると思われるが，高温雰囲気での使用ではでき上がり後の接触性も考慮しなくてはならない．すなわち，高温のため導体材料が表面酸化しやすいので酸化により接触抵抗が増加してしまう．これにより電流集中部分が生じ，発熱を引き起こす可能性がある．したがって，圧着やスポット溶接などはあまり好ましくない．また，接続のために接続点付近は絶縁層をはずすことになるため，接続後に接続点の再絶縁加工も必要である．

6 絶縁材料と絶縁システム

　モーターは，磁気エネルギーを介して電気エネルギーを機械エネルギーに変換する．つまり電流を流すための導電材料，磁気エネルギーを扱うための磁性材料があればモーターの機能は果たせるわけである．しかし，この二つだけでは実際のモーターは成り立たない．電流を流すためのコイルは鉄心に巻かれる．鉄心に電流を流すわけにはゆかない．そのためにコイルには絶縁が必要である．絶縁により不要な部分に電流が流れないようにしなくてはならないのである．実は，絶縁こそがモーターの寿命を決定する最大の要因である．つまり，絶縁材料はモーターに欠くことのできない材料であり，絶縁設計こそがモーターの実用上の重要な設計である．本章では，絶縁について材料から製造法まで述べてゆく．

6.1　モーターの絶縁とは

　モーターには絶縁は不可欠である．コイルは鉄心に巻線を巻いたものと考えられがちであるが，それだけではない．絶縁材料が必ず使われている．モーターのどの部位にどのような形状の絶縁材料が使われるかの例を表6.1に示す．モーターの内部では，フィルムや繊維を編んだり組んだりした各種の絶縁材料が使われている．

　ここで，スロットの内部の絶縁の構成を図6.1に示す．鉄心にはスロットが設けられて，その内部にコイルが巻線されている．使用している巻線はエナメル線であり，絶縁皮膜が焼き付けられている．しかし，エナメルに傷やピンホールがあれば鉄心と短絡してしまう．そのためスロットの内壁はスロット絶縁されている．スロット絶縁はフィルムをスロットの内壁に沿った形状に曲げたものが用いられる．スロットライナーともよばれる．低電圧のモーターでは粉体絶縁塗装でスロット絶縁が行われることもある．

6 絶縁材料と絶縁システム

表 6.1 モーターに使用される絶縁材料の例

絶縁部位	形 状	材料の例
ターミナル，コネクタ	任意の形状	フェノール，ナイロン
リード線	電線の被覆	ポリエチレン，フッ素樹脂
マグネットワイヤ	エナメル焼き付け	各種 (第 5 章参照)
スロット絶縁	フィルム，塗装	PET などの各種樹脂，アラミッド紙，ガラス繊維
層間絶縁	フィルム	
くさび（ウエッジ）	フィルム	
しばり糸	繊 維	
渡り線絶縁	スリーブ	
リード線接続部	チューブ，フィルム	
ワニス	塗 料	エポキシ，シリコーン
モールド	注型樹脂	各種注型用樹脂

　一つのスロットに複数の回路の異なるコイルが巻線される場合，コイル間を絶縁する．これを層間絶縁という．フィルムにより行うことが多い．コイルが収められた後，スロット開口部からコイルが飛び出さないようにくさび（ウエッジ）でふたをする．くさびにもフィルムが用いられる．くさびは絶縁のために用いられるのではなく，構造的な機能をもった部品である．スロット開口部の形状が磁束の分布に影響するため，くさびには磁性材料を用いることもある．
　層間絶縁は図 6.2 に示すように，多くのコイルが隣接するコイルエンドでも行われる．このとき層間絶縁を入れてからコイルエンドをしばりひもなどで結束する．

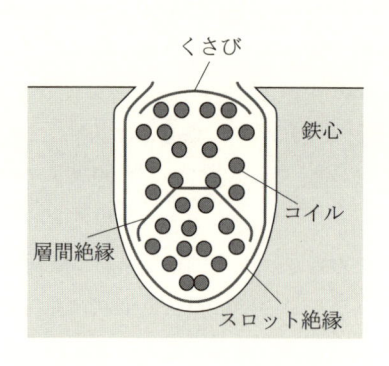

図 6.1　スロット内の絶縁構成

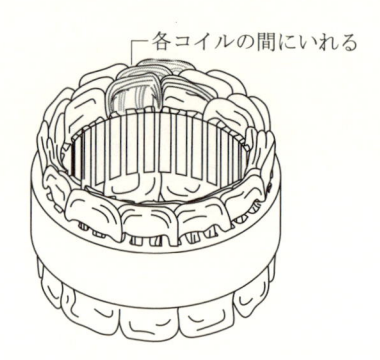

図 6.2　コイルエンドの層間絶縁

6.2 耐熱クラス

一般に有機絶縁材料は，温度が高いと酸化などの材料自身を劣化させる化学反応が促進される．そのため絶縁材料は時間の経過とともに特性が劣化する．すなわち寿命がある．寿命とは，所定の時間以内はその材料が性能を満足することを示している．つまり，モーターに使用している絶縁材料がわかれば寿命が推定できるはずである．

しかし，モーターに組み込んだ場合，複数の材料が使われており，材料単体の温度に対する寿命だけで議論できない．複数の材料を組み合わせて寿命を考える必要がある．そこで，モーター，変圧器などの電気機器の寿命については機器に使用している絶縁システムという考え方がとられている．絶縁の規格では絶縁システムの推奨最高連続使用温度というものをクラス分けして示している．JIS に示されている耐熱絶縁クラスを表 6.2 に示す．表には参考としてその耐熱クラスのモーターの使用例も示した．耐熱クラスとは絶縁システムの使用実績および試験に基づいて製造者が指定するものとされている．

絶縁の規格では，かつては絶縁階級 (Y 種, A 種等) として区分し，最高許容温度を示していた．絶縁階級の区分では各種絶縁に使用しうる「絶縁材料表」が例示されていた．その階級に相当した材料を使用していればその絶縁階級の区

表 6.2 耐熱クラスと使用材料の例 (JIS C4003:2010 をもとに作成)

指定文字	耐熱クラス [°C]	温度指数*	使用機器の例	温度に相当する材料の商品名の例
Y	90	90 ≦ < 105	30 V 以下の低圧機器 AV 機器など	
A	105	105 ≦ < 120		
E	120	120 ≦ < 130	家　電	ルミラー，マイラー
B	130	130 ≦ < 155	白物家電	
F	155	155 ≦ < 180	産業機器	
H	180	180 ≦ < 200	自動車，航空機，大容量発電機	カプトン
N	200	200 ≦ < 220	電　鉄	
R	220	220 ≦ < 250		ノーメックス
250	250	250 ≦ < 275	原子力機器	テフロン

備考：かつては 180 °C 以上を C 種と総称していた．
* 耐熱寿命 20000 時間になる温度を指す．

分となった．しかし，各種絶縁材料を組み合わせた場合の影響などは考慮されていなかった．後述するように絶縁は材料単体ではなく，いかに組み合わせるかの技術である．したがって，現在の規格では耐熱クラスの指定は単なる使用材料の指定ではなく，製造者の組み合わせ責任であると規定されている．

6.3　絶縁材料

モーターの絶縁によく使われる絶縁材料について形状ごとに述べる．

6.3.1　フィルム材料

(1) PET

ポリエステルの一種であるポリエチレンテレフタレート (PET) のフィルムは絶縁材料として優れた特性をもつ．そのため多くのメーカーから発売され，いろいろな商品名が通称となっている．DuPont社のマイラー，東レのルミラー，帝人のテトロン，三菱樹脂のダイヤホイルなどがある．PETはコストパフォーマンスの点から最も広く利用されているポリエステル材料である．材料としてはE種 (120℃) 相当であるが，耐熱性を上げたB種 (130℃) 相当のPETも開発されている．

(2) PEN

ポリエチレンナフタレート (PEN) はポリエステルの一種であるがPETより耐熱性が高く，F種 (155℃) 相当の材料である．PENはPETと同様に2軸延伸によりフィルム成形される．2軸延伸とは溶融したプラスチックを押し出してから縦横に延伸（引っ張って伸ばす）してフィルムを製造する方法である．2軸延伸可能な材料は大量生産が可能でコストの問題が少ない．2軸延伸の原理を図6.3に示す．

(3) ポリイミドフィルム

通称，カプトン (Kapton) とよばれる．これは最初に開発したDuPont社の商品名である．薄い黄金色の透明なフィルムであり，温度特性，絶縁特性とも高い．H種 (180℃) 相当の材料である．DuPont社の基本特許が切れているので各社から発売されている．

6.3 絶縁材料

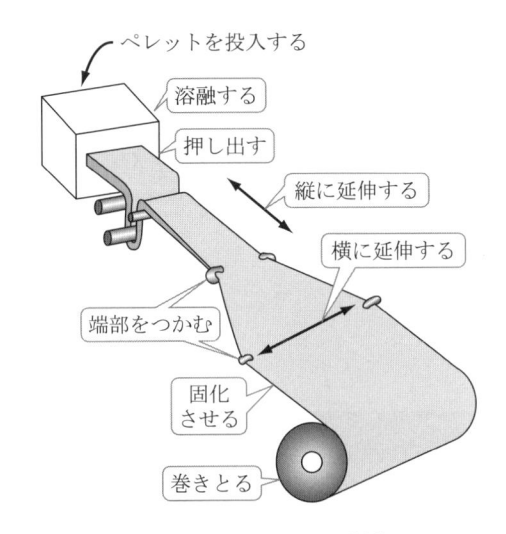

図中ラベル:
- ペレットを投入する
- 溶融する
- 押し出す
- 縦に延伸する
- 横に延伸する
- 端部をつかむ
- 固化させる
- 巻きとる

図 6.3　2軸延伸による製膜

(4) ポリアミド紙

通称，ノーメックス (Nomex) とよばれる．これも最初に開発した DuPont 社の商品名である．アラミド紙ともよばれる．DuPont 社のポリアミド樹脂で作ったアラミド繊維により合成された紙である．アラミド繊維を抄紙機で抄いた上に高温で熱プレスして樹脂の一部を溶融させて結合する．したがって多数の空隙をもっている．耐熱性は R 種 (220°C) 相当といわれており，相当高い．しかし，紙なので厚さの均一なフィルムとは異なる．単体では絶縁性能を満たさない場合がある．そこでフィルムとの貼り合わせ品がよく使われる．ノーメックスはその耐熱性から宇宙服や消防服に使われている．なお，合成繊維のナイロンはこのポリアミド系の樹脂を使った繊維である．

(5) テフロン

フッ素樹脂の一種であるポリテトラフルオロエチレン (PTFE) を DuPont 社の商品名を使ってテフロンとよんでいる．耐熱性ばかりでなく耐化学薬品性に優れた樹脂である．テフロンは PTFE を含む DuPont 社のフッ素系樹脂すべての商品名であり，用語が混乱している．なお，テフロンは絶縁材料としては 250°C 相当の材料となる．

(6) ガラス繊維，マイカ

ガラス繊維は織ったものをそのまま布状にして使うのではなく，フィルムなどの他の材料と複合されて用いられる．マイカ（雲母）も単体では強度的な問題があるので，同様に他の材料と組み合わせて使われる．

以上述べた材料は単独で使われることもあるが，それぞれの弱点をカバーするように貼り合わせて使われる．たとえば，ノーメックスは絶縁性能は高いが強度が弱いのでカプトンと貼り合わせる．これにより両者の優れた点を利用できるような複合材料となる．このような複合材料が種々市販されている．

6.3.2 ワニス

巻線終了後，巻線はワニスを含浸し固める．これをワニス処理という．現在は合成樹脂を使用しているのであるが，歴史的に松脂などの天然樹脂を利用したワニスを用いたことからこの名称が残っている．ワニス処理の目的は次のようなものである．

① 巻線部分を機器本体に固着させ，機械的強度を上げる．
② 巻線部分への湿気，塵埃，ガスなどの浸入を防ぐ．
③ 繊維質材料（絶縁紙やテープなど）に含浸し強度，耐水性を与える．
④ コイルの耐熱性および寿命を向上させる．
⑤ 金属部分の腐食を防ぐ．

ワニスにはフェノール系，エポキシ系，ポリエステル系，シリコーン系等の各種の合成樹脂が用いられる．それぞれの樹脂の耐熱性能を考える必要があるが，何より大切なのはマグネットワイヤのエナメルとの相性である．相性とはマグネットワイヤのエナメルと触れたときにエナメル皮膜にひびや膨れを生じさせるクレージングの発生を指している．相性の悪いワニスとはクレージングが起こりやすくなるということである．

ワニスは溶剤型ワニスと無溶剤型ワニスに大別される．溶剤型は主として有機溶剤を用いて，ワニス処理後に有機溶剤を蒸発させて（乾燥）固化する．そのため，どうしても溶剤の抜けた後の空隙が残ってしまう．無溶剤型ワニスは熱により固化するものや硬化剤を混入するものがある．空隙の防止および有機

溶剤作業を減らす観点から無溶剤ワニスの採用が多くなっている．

6.3.3 粉体塗装および注型絶縁

　鉄心に粉体を塗装して絶縁を行う場合がある．粉体塗装絶縁とはプラスチックの粉末を鉄心に塗装して，その後加熱して溶融させる方法である．粉末の塗装法には，吹き付け，電着，浸漬などがある．吹き付けは文字通り粉末を吹き付けて塗装する．電着は粉体を帯電させて付着させる方法である．浸漬はタンク内に粉体を浮遊させて加熱した鉄心に直接溶着させる方法である．これらの方法は大容量機で導体の絶縁としてマイカ粉末を焼き付けるのにも使われている．粉体塗装は均一につけるのが難しい．また，角部分に厚くつけるのが難しい．そのため粉体塗装は低電圧機によく用いられる．

　注型絶縁とは溶融した樹脂を型に注入して硬化させる絶縁である．一般にはモールドとよばれる．モールドには図 6.4 に示すような形態がある．モーターでモールドというのはキャスティングを指すことが多い．モールドを射出成型により行えば薄肉の成形も可能である．

　モールドは，ガラスなどの充填剤（フィラー）と不飽和ポリエステル樹脂を混合したバルクモールド法 (BMC：Bulk Mold Compound) が使われることが多い．充填剤は熱伝導のよい石英などの粒状の無機充填剤が用いられる．また，PET やエポキシなどをフィラーにした樹脂のみのモールドは成形性がよい．

　注型絶縁は電気絶縁特性ばかりでなく，機械的な特性も要求される．まず，溶融樹脂の粘度が低い必要がある．粘度が高いと注型時に隅々まで入り込まず，気泡が残る．気泡はボイド (6.5.3 項参照) となり絶縁性能を悪化させる．さらに注型する対象物との密着性が必要とされる．一般に金属と樹脂の密着性はよくない．また，マグネットワイヤのエナメルとの相性（濡れ性）も考慮する必要がある．しかし，モールドで一番考慮すべきことは硬化時の収縮により内部応力が発生することである．収縮が大きいと内部応力によりクラックが生じる．また，モールド材は熱伝導がよい必要がある．適切なモールドを行えば放熱がよくなる．このほか，コイルが固定されるので電磁振動を抑制することも期待できる．

6　絶縁材料と絶縁システム

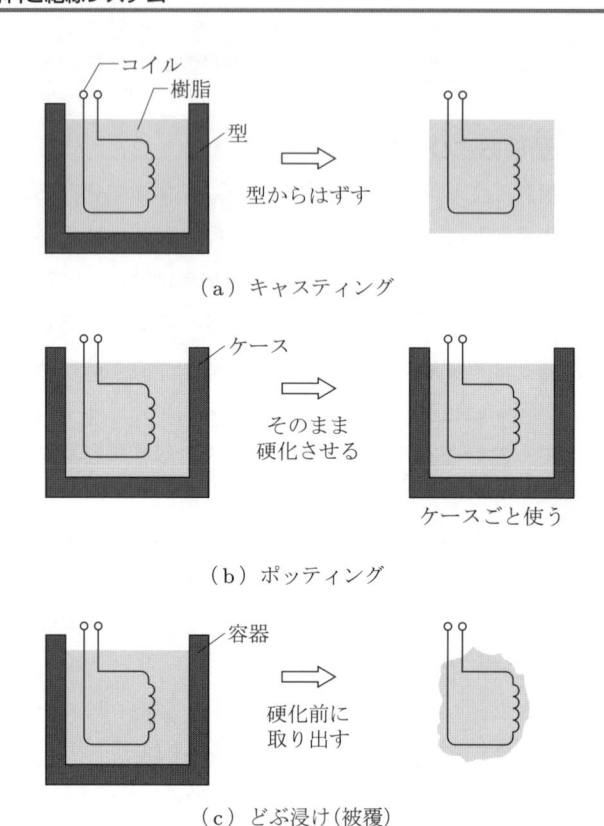

（a）キャスティング

コイル／樹脂／型　→　型からはずす

（b）ポッティング

ケース　→　そのまま硬化させる　→　ケースごと使う

（c）どぶ浸け（被覆）

容器　→　硬化前に取り出す

図 6.4　注型（モールド）の形態

■ 6.3.4　その他の絶縁材料

モーターの製造にはフィルム，ワニスのほかにさまざまな形態の絶縁材料が使われている．以下にそれを列記してみる．

- 糸：コイルエンドを結束（レーシング）するための糸．
- チューブ：マグネットワイヤの接続後にかぶせて絶縁する．
- スリーブ：エナメル線をリード線に使う場合，かぶせて覆う．
- テープ：各部の補強，固定．
- クロス：テープでは不十分な場合用いる．
- 絶縁板：スペーサ，補強など．

これらの絶縁部品はそれぞれの耐熱クラスを対象とした素材で製作されている．

これまで述べた絶縁，耐熱のほか，エアコン，冷蔵庫などのコンプレッサに用いられるハーメチックモーターでは耐冷媒性に加えてオリゴマーの放出の少ない材料が要求される．オリゴマー[*1]とは比較的少数のモノマーが結合した低分子量の重合体のことである．ハーメチックモーターはフロン系の冷媒ガスと潤滑油の混合した雰囲気中で運転される．長時間にわたって運転すると絶縁物中のオリゴマーが析出してしまう．オリゴマーは固体なのでシステム中に異物が存在することになり，故障を招く．そのため使用量の多いフィルム材料には特に低オリゴマー性が要求されている．

6.4 絶縁システム

モーターの絶縁はどのような材料を使っているかではなく，そのモーターがどのような絶縁システムとなっているか，という点で設計，評価される．そこで，本節ではシステムとして絶縁の各工程を説明してゆく．

6.4.1 巻線

ここでは，あらかじめ絶縁皮膜が焼き付けられたマグネットワイヤ（エナメル線）を用いたモーターについて説明する．そのため大型機で用いられる裸導体へのテーピング等については触れない[*2]．いわゆる「ばら線」のモーターのコイルの絶縁について述べる．

マグネットワイヤが耐熱性，ピンホールなどの絶縁性能が満たされるとしても絶縁としては巻線作業で次のようなことを注意して行う必要がある．

(1) エナメル皮膜に傷をつけない

巻線用の型，治具などの角や工具などの機械的衝撃でエナメルの薄い皮膜は傷がついてしまう．たとえエナメルがはがれなくても傷は長期的な絶縁不良を招く．自己潤滑性が低いと巻線の送り出しでも摩擦により傷がつく可能性がある．

[*1] 食品のオリゴ糖とは糖類のオリゴマーという意味である．
[*2] 大型モーターの巻線については参考文献 (12) (14) (15) を参照いただきたい．

(2) 巻線を曲げない

巻線を巻くのに曲げないとは変な表現であるが，急角度で曲げるとエナメル皮膜にしわが寄ったり亀裂が入ったりする．一般にマグネットワイヤは巻きつけ試験で評価されている．巻きつけ試験のもっとも過酷なものは自己径での巻きつけである．急激な曲げは皮膜の損傷を招く．平角線をエッジワイズ（第7章参照）に巻くときの内径側はかなり曲がりがきつい．曲がりがきついと皮膜に傷はつかなくても内部応力は残留してしまう．

(3) 巻線を伸ばさない

コイルを密に巻くときにはブレーキによりテンションをかけて巻く．このとき，巻線は伸長している．伸長しすぎるとエナメル皮膜に亀裂やはがれが生じる．テンションをかける際には摺動面でかけるのでなく，ロールでテンションをかけないと傷がつく可能性がある．また，伸長による皮膜の内部応力は残留する．

(4) 乾燥させる

水分，湿度の残留は長期的には皮膜の加水分解を招く．また水分は，ひびなどに入り込むと，温度サイクルにより蒸発による膨張と結露による収縮を繰り返し，ひびを進展させる．

(5) 残留応力を除去する

巻線作業によりマグネットワイヤの皮膜には内部応力が残留している．この状態で水分，薬品などに触れると皮膜に亀裂を生じる．これは第5章で述べたクレージングである．クレージングを防ぐため，巻線後に熱処理（アニール）を行い，残留応力を除去する．

■ 6.4.2 巻線後の処理

巻線後にはコイルの接続，コイルエンドの整形，およびレーシングなどの工程がある．これらも絶縁システムを構成する重要な要因である．

コイルの接続とは巻線時にそれぞれ独立して巻いた1極分のコイルの直列接続，中性点の接続，外部へのリード線との接続などである．接続法については第5章で述べた．このとき絶縁としてはマグネットワイヤの皮膜を剥離させないことが大切である．はんだ付けのために皮膜を剥離剤で除去する際に，剥離剤が他の部分につくとそこの皮膜が剥離してしまう．はんだ付けは巻線終了後

に行うのでコイルとかなり近接した場所の皮膜を除去することになる．さらに，皮膜の除去終了後，剥離剤を完全に取り去るか，作用しなくなるように中和処理などを行う必要がある．また接続後には接続部分をチューブ，スリーブなどで絶縁する必要がある．

サーモスタットやプロテクターをコイル中に埋め込む場合，一般的には絶縁フィルムを介してコイルエンドのコイル間に埋め込む．このときにもコイルを傷つけないようにすることが必要である．

分布巻コイルのコイルエンドは巻線終了後にはがさがさになっており，固定子の内径外径からはみ出している場合もある．これを図 6.5 に示すように所定の形に整形する必要がある．整形に際してはコイルに力をかけることになる．また，治具，型などに押し付けられる．このときも傷をつけないことが必要である．

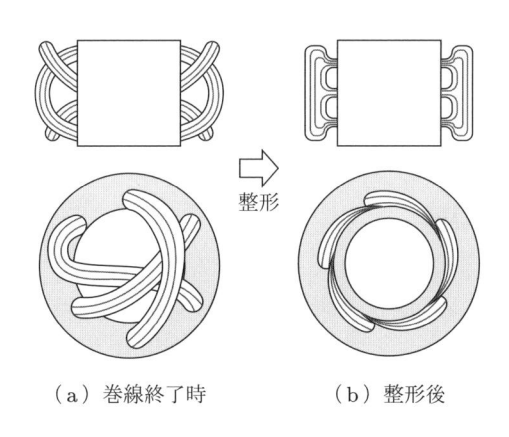

図 6.5 コイルエンドの整形

整形したコイルはしばり糸でしばり（レーシング）その形状に固定する．図 6.6 に巻線後のコイルとレーシングした後のコイルを示す．どこか 1 か所がほぐれたり，断線したりしても他の部分がほどけないようなしばり方が行われている．

この段階で乾燥を行う場合がある．乾燥により内部の水分や油分が揮発し，次に行うワニス処理においてワニスが確実に付着できるようにするためである．

6　絶縁材料と絶縁システム

（a）左：巻線終了時，右：コイルエンドの整形後

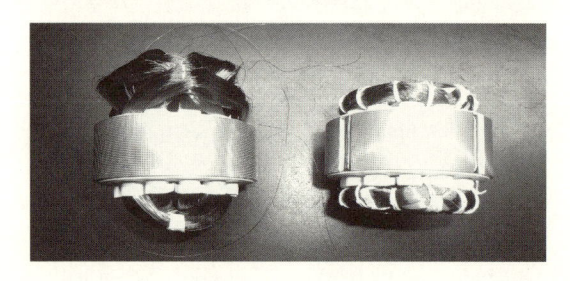

（b）整形前後のコイルの高さのちがい

図 6.6　巻線後のコイルの整形（(有)モーションシステムテック 斉藤守弘社長 提供）

■ 6.4.3　ワニス処理

　ワニス処理とは，鉄心に収めたコイルにワニスを含浸することである．単に塗布することではない．含浸とはコイルのワイヤ間やコイルと他の絶縁物の間にワニスをしみ込ませることである．ワニス処理により絶縁特性の向上のほか，空隙にしみ込むことにより接着し，強度を向上させ，振動を抑制する．さらに熱伝導を向上させるという効果もある．また，鉄心にワニス処理をすると剛性が上がり，騒音が低下するという効果もある．

　実際のワニス処理の方法を図 6.7 に示す．ワニスの粘度が低ければワニスはコイル間に入り込んでゆく．しかし粘度が低いとワニスが厚くつかないという二律背反がある．滴下法の場合，スロット内のワイヤ間にしみ込みながら重力で下部まで到達する．粘度が低いワニスを使えばコイルエンドのワイヤ間にも表面張力でしみ込んでゆく．しかし，固化するために加熱するとワニスは軟化するので落ちて行ってしまう．

(a) 滴下法 　　(b) どぶ浸け

真空チャンバ

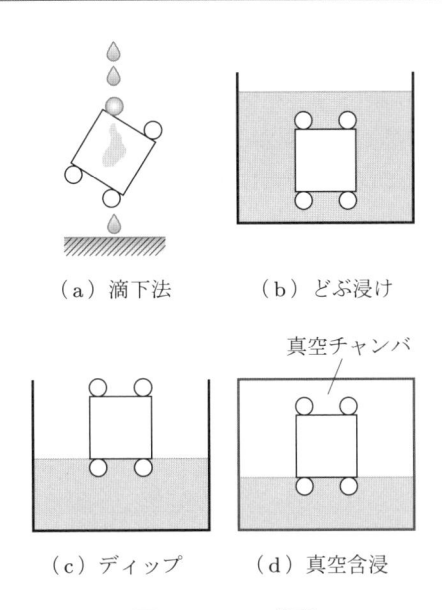

(c) ディップ 　　(d) 真空含浸

図 6.7 ワニス処理

　どぶ漬けとは，ワニス中にどっぷり漬けてしまい引き上げる方法である．ワニスをつけたくない部分はマスキングすればよい．ワニスが全体的に厚くつくが，気泡が残らないように振動を与えたりする必要がある．

　ディップとは，コイルエンドのみワニス中に浸す方法である．ワニスは表面張力で上がってゆく．上下反転すれば両側のコイルエンドがワニス処理できる．粘度の低いワニスが使われる．真空含浸は真空チャンバの中でワニス処理を行う方法である．真空にすることにより脱ガスし，ワニスが浸透する．ワニス処理法としては確実な方法であるが量産にはなじまない．

　溶剤型のワニスを使った場合，ワニスの固化方法が絶縁システムの性能に影響する．すなわち，熱で固化させる場合，加熱が早いと表面層のみ溶剤が抜けて固化してしまい，内部の溶剤が気化できず固化しない．また，表面のみ固化すると内部から溶剤の蒸気が表面層を押し破りクラックを生じてしまう．溶剤が気泡状態になった場合，抜けたあとがボイドになる．また，溶剤が抜けた分はワニスが体積収縮してしまう．

　溶剤型ワニスを使う場合，溶剤が揮発してしまうので粘度のほかにワニスの

濃度（比重）も管理する必要がある．したがって無溶剤型のワニスを使うことが一般的になってきている．

金属がワニスの反応の触媒となり，硬化を防げる働きをする場合がある．巻線に使用する銅またはアルミ以外の金属の有無に注意する必要がある．

> **COLUMN**
>
> **真空は絶縁です**
>
> 　真空はイオンも電子も非常に少ない状態です．だから真空中の絶縁耐力は非常に高く大気圧での空気の絶縁耐力 3×10^6 V/m よりはるかに高いのです．つまり，通常の設計をすれば真空中で絶縁の問題は考えなくてもよいことになります．
>
> 　実は，ここに落とし穴があります．モーターを運転中に徐々に真空引きをしてゆくとモーターが壊れるのです．火花放電に関するパッシェンの法則というのがあります．図に示すようにある程度の真空度で火花電圧が最小値になってしまいます．そのため真空引きをしている途中で絶縁能力が落ちて端子などの露出している部分で火花が飛んでしまいます．完全に真空になるまでモーターは回さないことです．
>
> パッシェンの法則

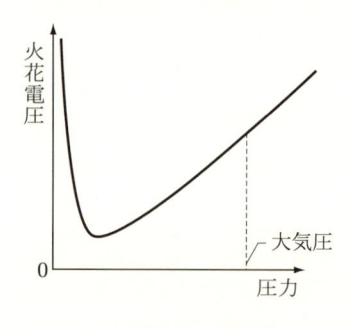

6.5　絶縁劣化

■ 6.5.1　絶縁劣化の要因

　絶縁システムの劣化の要因は IEC60505 では次の四つに分類している．電気的 (E)，熱的 (T)，機械的 (M)，環境的 (A) 要因である．これらの劣化要因を

6.5 絶縁劣化

表 6.3 に説明する．これらの要因が単独にあるいは複合して絶縁破壊に至るメカニズムを図 6.8 に示す．最初のステップでは電気的な要因が加わり，損失が増加し温度上昇する．それにより化学変化が起こり，さらに温度上昇する．またこのステップで温度および環境的要因が加わることにより化学変化が起こることもある．さらに機械的要因が加わるとクラックが入ったり，機械的な欠陥

表 6.3　絶縁システムの劣化要因

劣化要因	劣化の機構	概　要
E　電気的	部分放電	絶縁物中の欠陥（ボイド）内部で絶縁破壊する
	トラッキング	絶縁物表面の埃などに電流が流れてやがて炭化して起こる放電
	トリーイング	電界集中により樹の枝状に進む放電
	電　解	電気的に酸化還元反応が起こる
	電界集中	絶縁物でも電界が集中すると上記の機構が起こりやすい
	誘電損失による温度上昇	$\tan\delta$ による発熱
	静電気	空間の電荷も含む
T　熱的	物理的化学的な変化	化学反応が進むことが原因
	熱膨張	熱膨張による応力
M　機械的	応力による疲労	低い応力が繰り返し印加される
	熱膨張	熱膨張による応力
	絶縁物の破損	外部からの力または運転による高い応力
	摩　耗	部品間の相対運動による摩耗
	クリープ	応力，熱，電気などによるクリープまたは流出
A　環境的	水　分	吸湿による絶縁抵抗，誘電率の変化．水分があると他の劣化要因が加速される
	酸　素	酸化反応は高温で進む
	化学薬品	反応生成物が他の材料にアタックすることもある
	微生物	ウレタン系は微生物が繁殖することがある
	天候（気温の変化など）	屋外設置の場合
	塵埃	埃は表面抵抗率の不均一を生む
	その他の環境	振動，異常な荷重，高い圧力，放射線，宇宙，真空

6 絶縁材料と絶縁システム

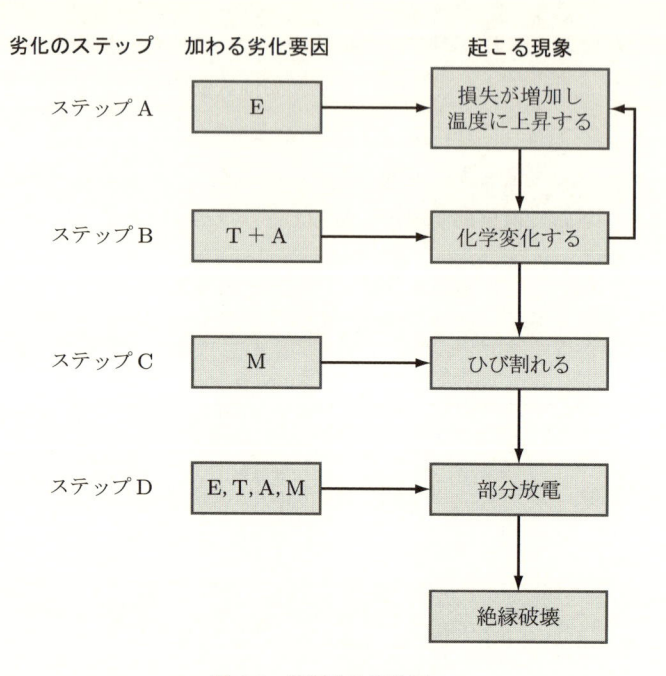

劣化のステップ	加わる劣化要因	起こる現象
ステップA	E	損失が増加し温度に上昇する
ステップB	T＋A	化学変化する
ステップC	M	ひび割れる
ステップD	E,T,A,M	部分放電 → 絶縁破壊

図 6.8 絶縁劣化の進展

が生じる．このようなステップで，さらに劣化要因が加わると部分放電を生じる．そしてついに絶縁システムとして絶縁破壊してしまう．

　以上述べたように，絶縁の劣化の進展は単純なものではない．各要因の複合で劣化する．このような長期にわたる劣化を含めて総合的に評価するためには絶縁システムとして評価することが重要である．しかしながら IEC では，「絶縁システムを評価するのに好ましい根拠は適切な経験にある．経験がない場合には適切な試験を実施し，その際には実績のある他の絶縁システムを参照絶縁システムとして使用すべきである．材料単体の熱的性能にかかわらず，絶縁システムとし満足な性能が得られればよい」としている．製造者の経験または試験により，製造者の責任で絶縁システムを選定することが必要なのである．

6.5.2 熱と絶縁材料

　絶縁材料は熱による影響を受けやすい．これは温度が高いと特性が劣化しやすいという意味である．熱で特性が劣化し寿命が短くなる．規格では特性値が初期から半減したときを寿命としているものがある．また，寿命と温度の関係については10℃半減則とか8℃半減則に従うなどといわれる．これは有機材料の熱による化学反応の促進を表したものである．

　熱劣化は熱分解，酸化，脱水，重合などの多くの反応により引き起こされるものである．これらの熱劣化の反応の速度と温度の関係は1次反応といわれ，t 時間経過後の特性 P は初期の特性 P_0 から次のように変化する．

$$P = P_0 + kT$$

ここで，k は反応速度定数，T は絶対温度である．反応速度は次に示すアレニウスの式に従うといわれている．

$$k = -Ae^{\frac{-E}{RT}}$$

ここで，A：係数，E：活性化エネルギー（材料により決まる），R：気体定数[*1]，である．

　この二つの式を代入整理すると次のような特性変化に至る時間 t を表す式が導かれる．

$$\ln t = \frac{E}{RT} + B$$

ここで，B は初期値と劣化後の値から決まる定数である．

　この式を横軸 $1/T$，縦軸 $\ln t$ としてプロットすると図6.9に示すように直線になる．これをアレニウスプロットという．この直線の傾きはその材料の活性化エネルギー E により決まる．しかし，経験的に多くの物質は10℃の温度上昇で寿命が半分になることがわかっている．そこで，次のように近似して寿命を推定する．

$$L_x = L_0 2^{(T_0 - T_x)/10}$$

ここで，L_x：推定寿命，L_0：規定温度 (T_0) での寿命，T_x：使用時の温度である．

[*1] ボイル–シャルルの法則：1モルの理想気体の温度 T，圧力 P，体積 V の関係は $\frac{PV}{T} = R$ と一定になる．この R を気体定数とよぶ．

6 絶縁材料と絶縁システム

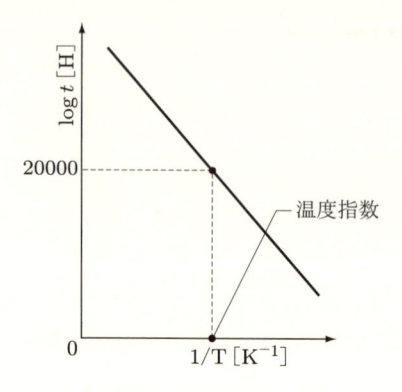

図 6.9 アレニウスプロット

　この式は 10℃ 半減則といわれており，温度が 10℃ 上昇するごとに推定寿命が半減することを示している．しかし，耐熱性の高い物質は活性化エネルギーが小さいので 8℃ 半減則に従うともいわれている．

　なお，規格ではアレニウスプロットを利用して寿命を定義している．初期の特性の半分になる時間をその温度での寿命と定義する．ちなみに IEC の温度指数（TI：Temperature Index）は 20000 時間後に特性が半減する温度を示している．なお，UL では材料の定格温度として相対温度指数（RTI：Relative Temperature Index）を用いているが，これは 10 万時間後に初期値が半減する温度である．

■ 6.5.3　部分放電

　部分放電については 5.2.4 項でも触れたが，部分放電のメカニズムをここで説明する．部分放電を説明するにはボイドがある場合がわかりやすいのでボイドを使って説明してゆく．ボイドとは，絶縁物の内部の欠陥（空隙）を指している．図 6.10（a）に示すように油の中の泡と考えるとわかりやすい．絶縁物は誘電体なので等価回路はコンデンサで表す．

　ボイドのある部分とない部分は図（b）に示すようにコンデンサの直並列回路として考えることができる．ボイド部分の空隙にかかる電圧は次のようになる．

$$v_g = \frac{C_g}{C_g + C_b} V_t$$

ここで，C_g はボイドの静電容量，C_b はボイドと直列になっていると考えられ

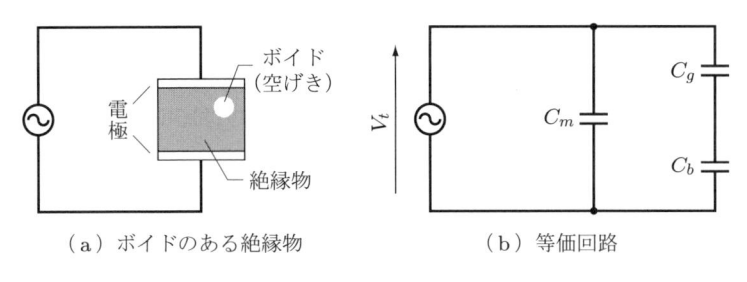

（a）ボイドのある絶縁物　　　（b）等価回路

図 6.10　部分放電のモデル

る絶縁物の静電容量．なお，図中の C_m はボイド部分以外の静電容量である．

　ボイドが小さいほどコンデンサとしての電極間距離が小さいので C_g は大きくなる．つまりボイドにかかる電圧が増加する．小さなボイドに高電圧が印加されるので，ある電圧に達すると放電する．いったん放電すると放電電荷はボイドの表面の絶縁物にたまるので電界が逆方向になり，放電は消える．つまりボイドにより短時間のパルス放電が起こる．この放電は電極間でなく誘電体内部で部分的に生じるので部分放電とよぶ．部分放電波形を図 6.11 に示す．

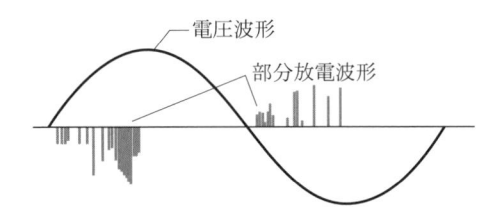

図 6.11　部分放電波形

　このような部分放電に火花が生じればコロナ放電になる．コロナ放電すると電子は電界で加速されて放出するので，絶縁物を浸食する．部分放電は1回起こっただけでは大きな影響はない．しかし，回数が多くなると徐々に絶縁物を劣化させてしまう．

　部分放電の評価は放電開始電圧で行う．しかし，絶縁の評価は次に示す部分放電の電荷量で表示される．

$$q = C_g V_g$$

ここで，V_g は放電電圧である．

放電の電荷量の増加が絶縁の欠陥の増加を示すことになる．そのため部分放電の電荷量が絶縁の評価に使われるのである (10.5 節参照)．

7 巻線

　モーターは，電気エネルギーを磁気エネルギーを介して機械エネルギーに変換するエネルギー変換装置である．エネルギー変換にかかわる部分を機能的には電機子とよぶ．電機子は構造的には鉄心に巻かれたコイルである．コイルは見た目にはワイヤの束の塊のようである．しかし，コイルはただ巻いてあるのではなく，1本1本のコイルの位置，互いの接続が詳細に設計されているのである．巻線設計はモーターの性能を達成するためのもっとも重要な設計である．コイルの製造はモーターの製造工程の中心である．本章では，巻線の設計，製造に関することについて極力わかりやすく説明する．

7.1 コイル

　巻線材料を所定の回数だけ巻いたものがコイルである[*1]．あらかじめコイルを巻いてから鉄心に組み込まれる場合と，鉄心に直接巻く場合がある．あらかじめ巻かれたコイルを図 7.1 に示す．鉄心のスロット内部に収まる直線部分をコイルサイド，鉄心に収まらずスロットの外に出ている部分をコイルエンドという．コイルエンドはコイルサイドが入る二つのスロットの間をわたる部分である．

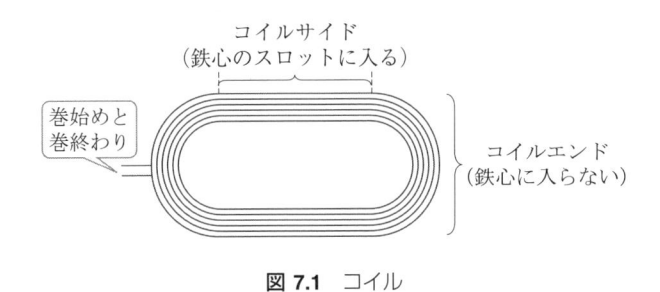

図 7.1 コイル

[*1] 電気機器で用いるコイルのことをとくに巻線とよぶ．本書ではコイルとよぶ．

7　巻　線

　コイルサイドの間隔をコイルピッチという．コイルピッチはスロット数により表示される．また，モーターの極の間隔を極ピッチといい，これもスロット数または機械角で表される．4極で24スロットの場合，図7.2に示すように極ピッチは6スロット，または$\pi/2$ [rad] となる．

　コイルピッチが極ピッチと等しい場合，全節巻という．これを図7.3（a）に示す．この図では極ピッチ，コイルピッチはともに6スロットである．一方コイルピッチが極ピッチより短い場合，短節巻という．図（b）にはコイルピッ

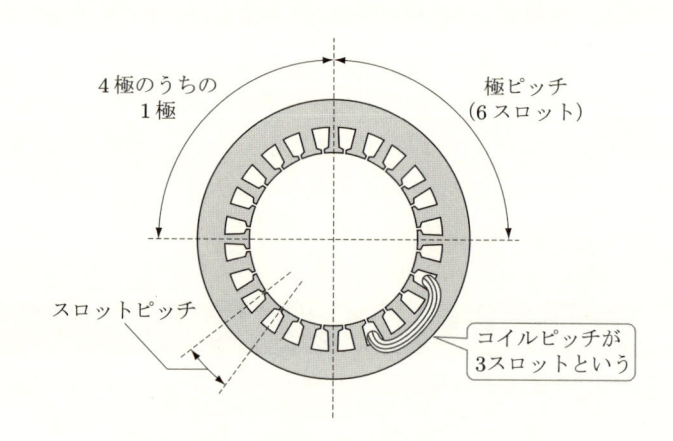

図 7.2　コイルピッチと極ピッチ

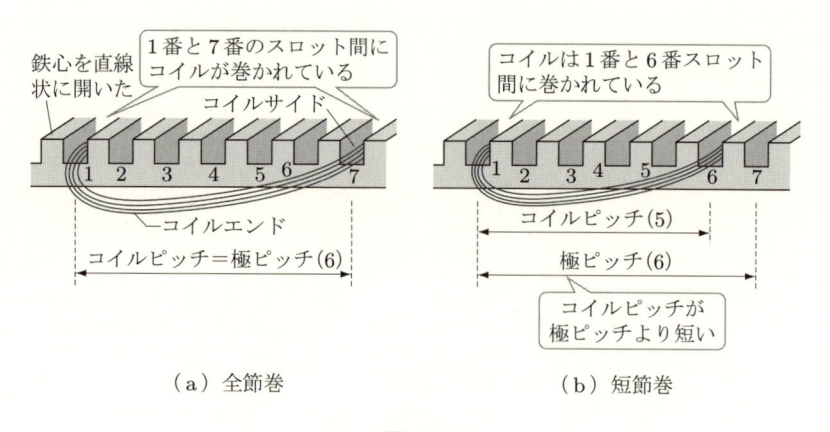

（a）全節巻　　　　　　　　（b）短節巻

図 7.3

チが5の場合の例を示す．このとき，コイルピッチ (5スロット) は極ピッチ (6スロット) より短い．これを1スロット短節しているという．短節巻と全節巻については後述する．

7.2 集中巻

近年広まってきた永久磁石同期モーターでは隣どうしのスロットに巻線する方式が多く使われている．一方，従来からの誘導モーター，同期モーターでは分布巻が多く使われている．この二つはその名の通りコイルを集中して巻くか，空間的に分布させて巻くかの違いである．ここでは，このうち集中巻について述べる．

7.2.1 突極集中巻

集中巻とは1極1相分のコイルが一つのスロットに収められているものをいう．分布巻に対する集中巻の定義を図7.4に示す．ここでは各スロットにコイルが一つ収められている．これが3組あれば3相コイルとなる．これを図(b)に示す．しかし，この場合，コイルピッチは180°となり，向かい側のスロットとの間でコイルを巻かなくてはならない．つまり，この場合，コイルエンドに180°分の長さが必要である．このような集中巻は電気機器の原理の説明によく見られる．

近年，集中巻とよばれているのは上記のような分布巻に対する集中巻という

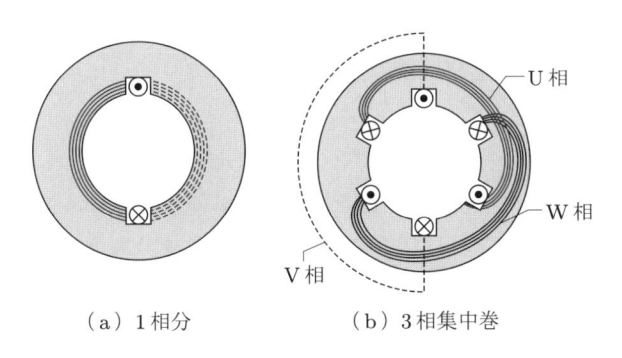

（a）1相分　　　　　（b）3相集中巻

図7.4　集中巻の概念

7 巻 線

意味ではない．突極集中巻または直巻（じかまき）とよぶべき巻き方を集中巻とよんでいるのである．コイルは隣どうしのスロット間に巻かれ，ティースに直接巻かれる方式である．コイルピッチが1スロットである．このとき一つのスロットに二つのコイルが収められており，後述する2層巻になっている．つまり，集中巻のある特別な構成を指しているのである．

図7.5に示すのは6スロットの突極集中巻である．ここで極数でなくスロット数で表現したのは，集中巻特有の事情があるからである．つまり，この6組のコイルをどのように接続するかで極数が変更できるのである．

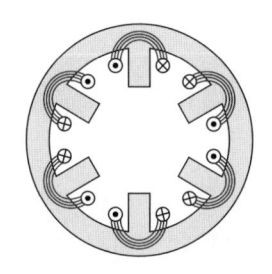

図 7.5 6スロットの突極集中巻

このような突極集中巻は中容量以下の永久磁石同期モーターでよく用いられるようになった．その大きな理由は，コイルが隣どうしのスロット間に巻かれるため，多くのスロットをまたぐようなコイルエンドが必要なくなる．つまり，コイルエンドの長さを短くでき，コイルエンド全体を小さくできる．これはモーターの全長が短くなることを意味する．したがって，コイル抵抗が小さくできる．さらに突極集中巻の分割鉄心を使えば，コイルを巻いてから鉄心を一体化させるような組み立て工法も可能になる．

突極集中巻の極数について説明する．いま，図7.5に示した6スロットでのコイルを考える．このとき，図7.6（a）のように電流を流せば3相2極のコイル配置になる．このとき，回転子の磁石の磁極も2極である．一方，図（b）では回転子の磁石が4極であるこのとき，4極のコイルとして結線できる．さらに図（c）の場合，回転子は8極である．このとき6スロットのコイルは8極のコイルとして結線できる．このように，突極集中巻の場合，回転子の極数に応

(a) 2 極 (b) 4 極 (c) 8 極

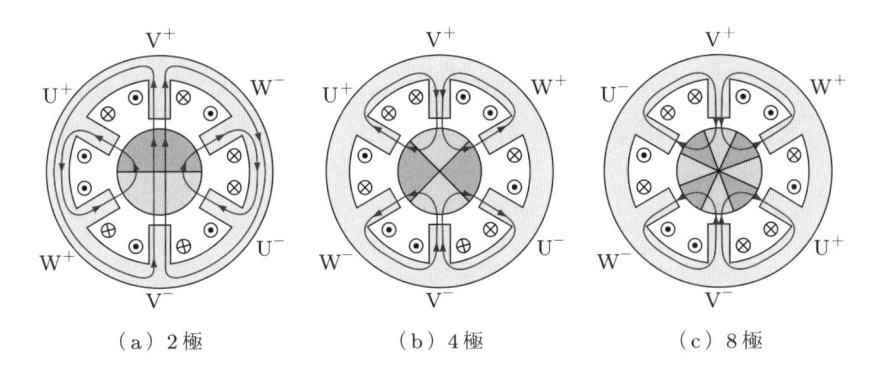

図 7.6　突極集中巻の極数

じてコイルの接続を変更すれば極数を決めることができるのである．

7.2.2　エッジワイズ巻とアルファ巻

　突極集中巻のモーターの増加にともない，コイルの巻き方にも新しいものが出現している．平角線を巻く場合，平角線の長辺側を内径として曲がりやすい方向に巻くと巻きやすい．これをフラットワイズコイル（たおし巻）という．一方，図 7.7 のように短辺を内径側にして曲がりにくい方向に巻く方法をエッジワイズコイル（平打巻，たて巻）という．図 7.8 に両者の断面を示す．フラットワイズの場合，巻始めの線を内径側から引き出す必要がある．また，外形方向に向けての熱伝導はエナメル皮膜および線間のすきまを通して放熱することになる．これに対して，エッジワイズ巻では巻き始め，巻き終わりはコイルの上下にあり，さらに径方向の放熱は銅の熱伝導のみなので放熱性がよい．しかしエッジワイズ巻は内外径で伸びおよび縮みが生じ，エナメルのはがれなどの可能性もある．

　アルファ巻は図 7.9 のような原理で，巻き始めと巻き終わりがいずれもコイルの外側でかつ同一方向にくるように巻く方法である．巻いた形状が α の形になることからそうよばれている．アルファ巻は平角線でよく行われるが，丸線でも同一原理で巻くことができる．実際に巻線する場合，内側から二つコイルを同時に巻く必要がある．アルファ巻は近年，モーターの突極集中巻やリアクトルでよく見られる巻き方である．

7 巻線

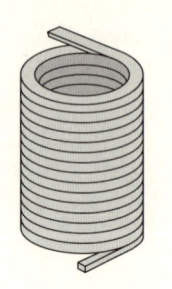

図 7.7 エッジワイズ巻

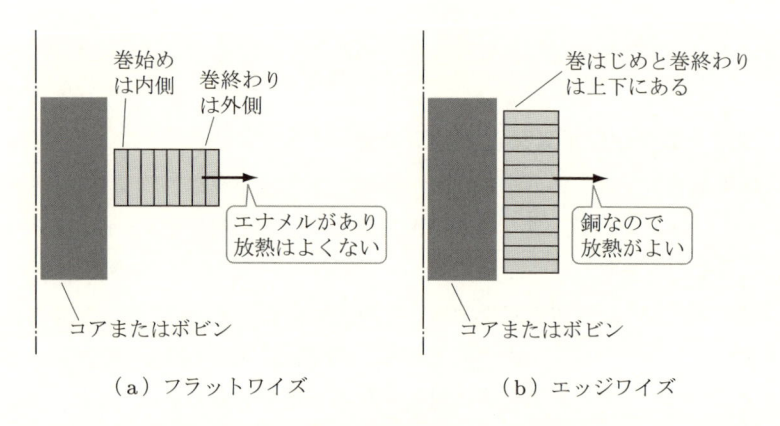

(a) フラットワイズ
- 巻始めは内側
- 巻終わりは外側
- エナメルがあり放熱はよくない
- コアまたはボビン

(b) エッジワイズ
- 巻はじめと巻終わりは上下にある
- 銅なので放熱がよい
- コアまたはボビン

図 7.8 フラットワイズ巻とエッジワイズ巻の断面

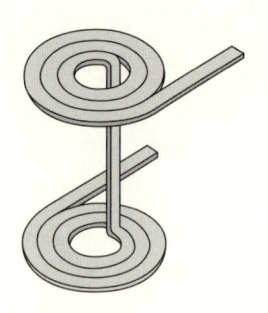

図 7.9 アルファ巻

7.3 分布巻

　1相1極分のコイルが複数個のスロットに分布して巻線され，それらが直列に接続されている巻線仕様を分布巻という．分布巻のうち，一つのスロットに一つのコイルが収められているのを単層巻という．これに対し，一つのスロットに二つのコイルが収められているものを2層巻という．交流モーターでは一般に2層巻が使われる．図7.10に2層巻を示す．スロット内に2層のコイルがあり，片方のスロットでは上層，片方では下層となるように巻いてある．このようにすると各コイルの寸法を同一にすることができる．

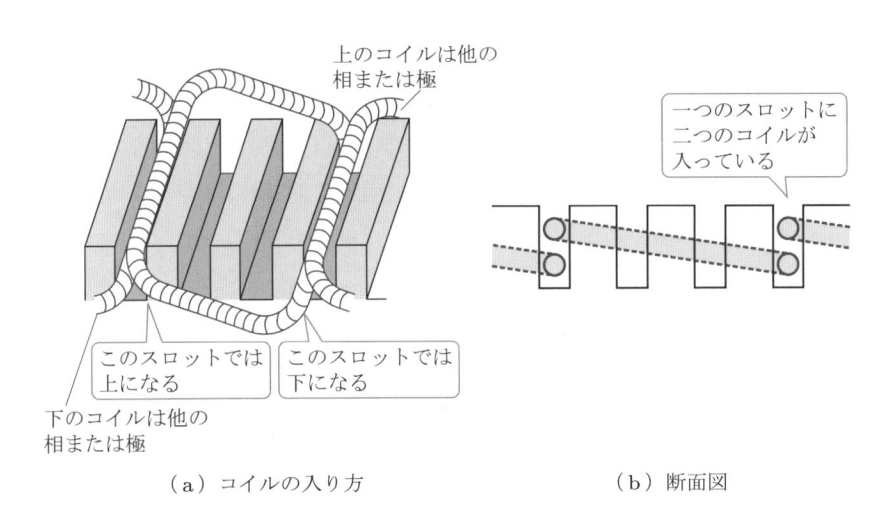

（a）コイルの入り方　　　　　　　　（b）断面図

図 7.10　2層巻

　このようなコイルが複数のスロットに分布しているのでコイル間をどのように接続するかを考える必要がある．2層巻でよく使われる接続法として重ね巻と波巻がある．また単層巻では同心巻が使われる．分布巻の分類を図7.11に示す．
　巻線の方法は展開図を用いて示される．展開図について図7.12を用いて説明する．図（a）に示すのが展開図である．ここでは巻き始めをV相の1スロット目として V_1 と表示している．また，巻き終わりは Y_1 としている．このとき，

7 巻線

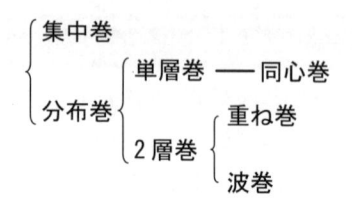

```
         ┌ 集中巻
         │      ┌ 単層巻 ── 同心巻
         └ 分布巻┤       ┌ 重ね巻
                └ 2層巻 ┤
                        └ 波巻
```

図 7.11 分布巻の分類

実際には一つのコイルで2巻したとすると実際には図(b)のようになっている．1〜7間で2巻巻いてから2に移り，2〜8間で2巻するのである．実際の固定子には図(c)に示すようにコイルが配置される．ここでは1相1極分のコイルしか示していないので，1スロットに1コイル(線は2本)しか挿入されていない．巻き方の説明は，図(a)のような展開図を使って説明される．

分布巻の巻き方について同一仕様での例を示してゆこう．例として，3相，4極，24スロットでの巻き方をとりあげる．このとき毎極毎相のスロット数 q は次のように求めることができる．

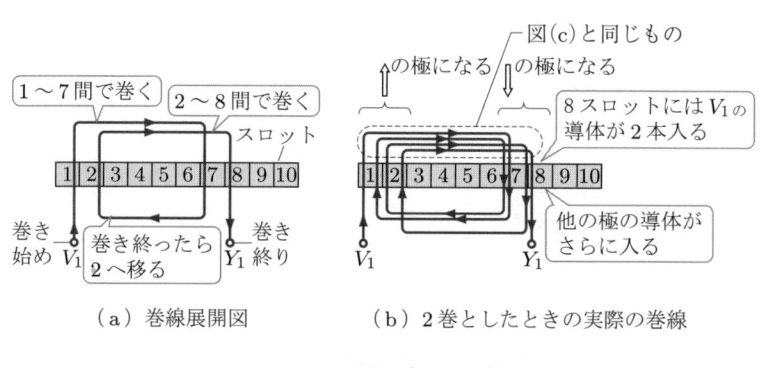

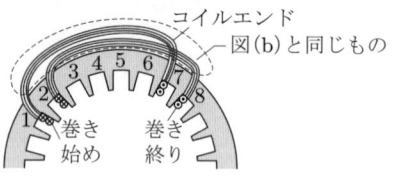

（a）巻線展開図

（b）2巻としたときの実際の巻線

（c）実体図

図 7.12 巻線展開図

$$q = \frac{S}{3P}$$

ここで，S はステータスロット数，P は極数，3 は相数である．つまり，ここでは $q=2$ の場合を説明する．このとき，各スロットに配置されるコイルが図7.13のような電流の向きに分布していれば3相4極の磁束分布になる．このように分布するためにコイルをどのように巻いて，結線するのかを説明する．

重ね巻を図7.14（a）に示す．なお，図では4極のコイルのうち2極分しか

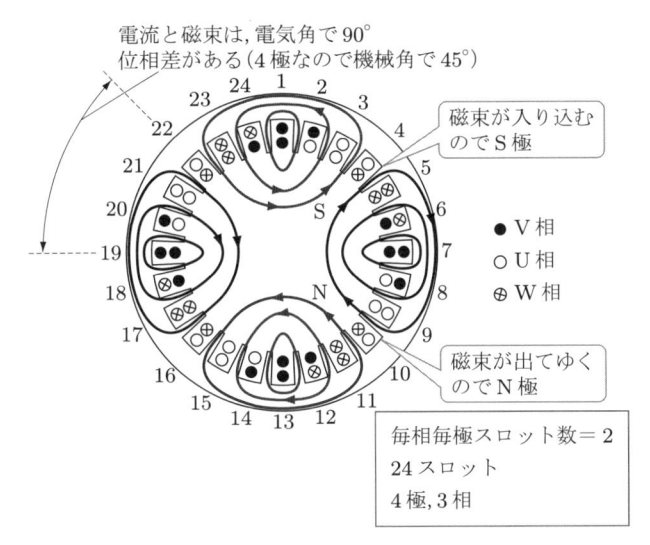

（a）磁束分布

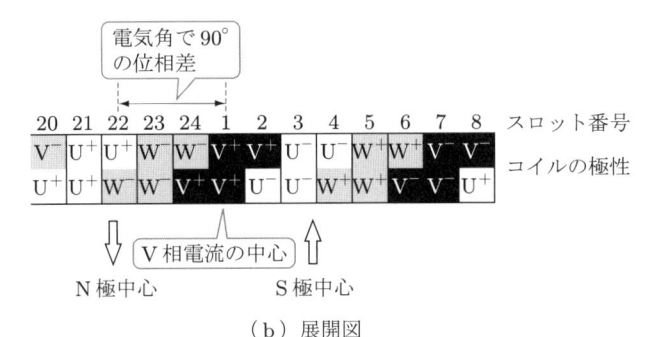

（b）展開図

図 7.13

7 巻線

描いていない．重ね巻は図に示すように一つのコイルがある極に集中して巻かれている．波巻を図（b）に示す．波巻は1極分のコイルが180°離れて巻かれている．したがってコイルエンドの寸法が長い．また，同心巻を図（c）に示す．同心巻は各コイルの長さが異なること，コイルエンドの形状が複雑になること，および短節巻ができないことから，大型機ではあまり用いられていない．その

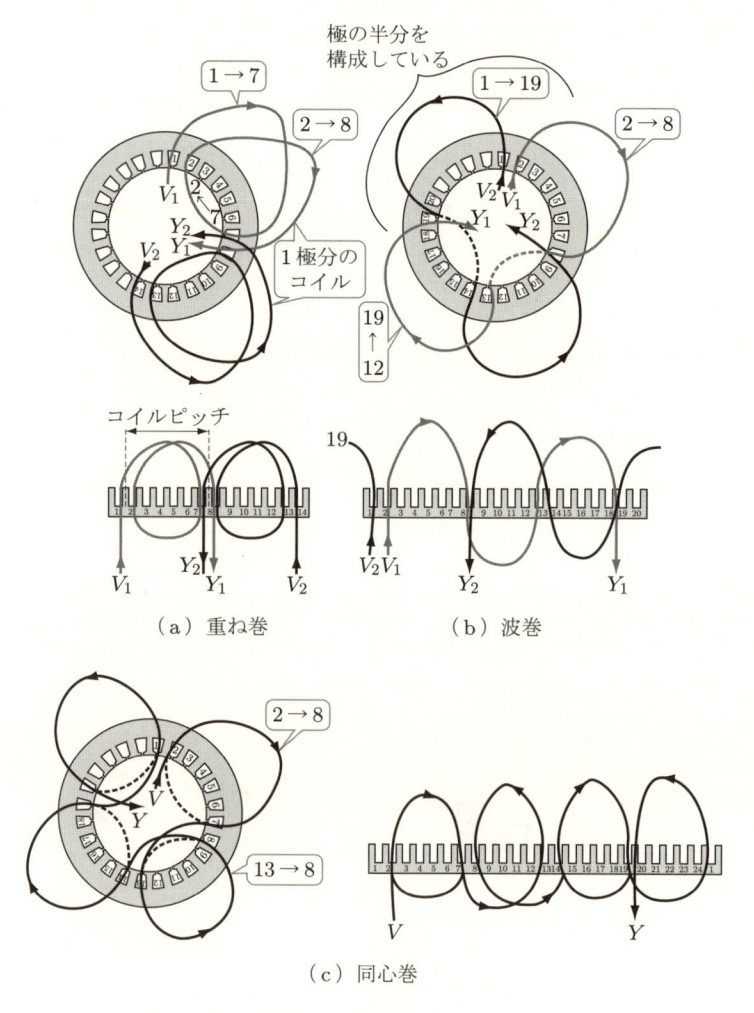

図 7.14 コイルの巻き方

ため，電気機器の設計書にはあまり記載がない．しかし，同心巻は自動巻線機（インサータ）を使うような小容量の誘導モーターでは広く使われている．とくに単相誘導モーターではよく使われる巻線法である．なお，図(c)の場合，スロット数が少ないので同心巻というイメージが得られないかもしれない．

短節巻とは極ピッチよりコイルピッチが短い巻線法である．極ピッチとコイルピッチが等しい場合，全節巻という．図 7.14 はすべて全節巻である．重ね巻を短節した巻線を図 7.15 に示す．

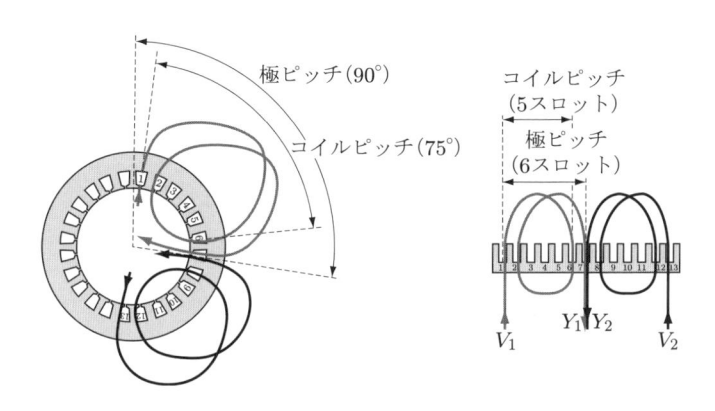

図 7.15 重ね巻の短節巻

これまで述べた例は毎極毎相のスロット数，すなわちコイル数が $q=2$ の整数であった．毎極毎相のスロットが分数になるような巻き方を分数みぞ巻という．いま，30 スロットの鉄心で 3 相 4 極の巻線をするとすれば計算上は $q=2.5$ である．このとき，第 1 極，3 極のコイル数を 3 とし，2，4 極のコイル数を 2 とすれば平均して毎極毎相のスロット数は $q=2.5$ と考えることができる．このときスロット数は相数の倍数である必要がある．突極集中巻ではこの分数みぞ巻が多用されている．図 7.6 において，図(a)は整数みぞの $q=1$ であるが，図(b)は $q=0.5$，図(c)は $q=1/4$ の分数みぞ巻である．

3 相の結線法について述べる．一般には 3 相はスター結線されることが多い．これは中性点を一か所接続すればよいという作業性の良さが大きな理由である．デルタ結線の場合，3 次の高調波が循環電流として流れてしまう可能性がある．

しかし，低電圧で大きなトルクを出すようなモーターではデルタ結線が使われる．低電圧で大トルクを出すということは電流が大きいということである．そのため太い巻線を使う必要がある．デルタ結線の場合，各相のコイルを流れる電流は線電流の $1/\sqrt{3}$ となる．そのため巻数は増えるものの線径を小さくすることができる．

> **COLUMN**
>
> **モーターは web**
>
> みなさんは web という言葉を聞くとインターネットの website を思い浮かべるでしょうね．web という単語を辞書で引いてみると「絵巻物」という訳語が出ています．インターネットはまさに絵巻物ですね．うまい名前をつけたと思います．実はモーターの分野も web の世界なのです．でも，インターネットでも絵巻物でもありません．web には巻物という意味があるのです．マグネットワイヤも電磁鋼板も絶縁フィルムもメーカーから出荷されるときはロールに巻かれています．モーターの材料は web なのです．コンデンサをつくるときにはフィルムや電極を巻いて作ります．コイルはまさに巻物です．電気機器の世界は web の世界なのです．

7.4　巻線係数

　巻線係数とは，起磁力が空間的に分布しているときに，起磁力の空間的な基本波成分を示す係数である．起磁力の空間的分布とは電流を流すコイルがどのように配置されているか，ということである．起磁力の空間的な基本波とは N 極と S 極がそれぞれの極内で正弦波状に分布していると考えることである．図 7.16 は空間に置かれた二つの導体の作る磁界を表している．このとき，コイル間隔を直径とする円を考えてみよう．この円周上の磁束分布は 2 極の場合の理想的な起磁力分布を示している．N，S の磁極は電流と 90° 離れた位置に生じる．円周を直線状に切り開いた図（b）は内側から見た磁束密度を示している．円の内側から見れば磁束が出てゆく N 極が磁束密度が正であり，磁束が入ってくる S 極の磁束密度は負である．円周上の磁束密度は正弦波状に分布している．このようなとき，起磁力は正弦波状に分布しているといい，この正弦波を起磁力の空間分布の基本波とよぶ．

　いま，図 7.16 のコイルが鉄心のスロットに配置されると考えよう．図 7.17

7.4 巻線係数

(a) 空間的な磁束の分布

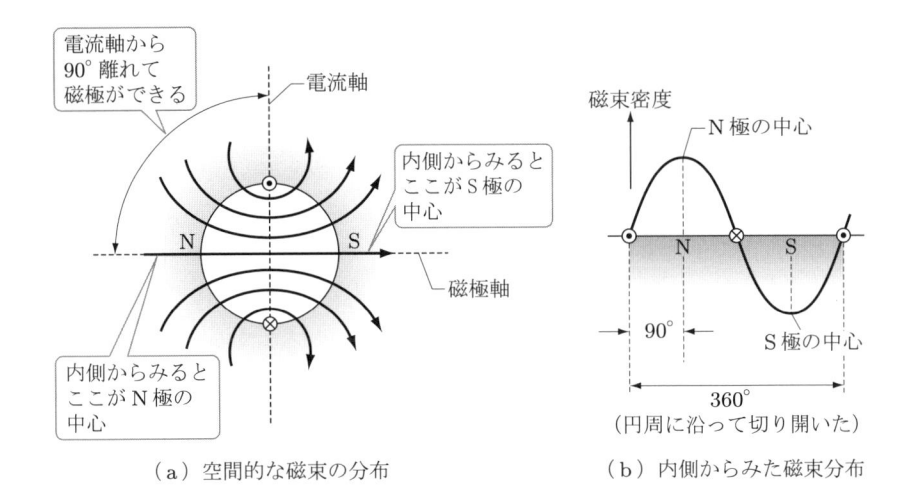

(b) 内側からみた磁束分布

図 7.16 起磁力の空間的な分布

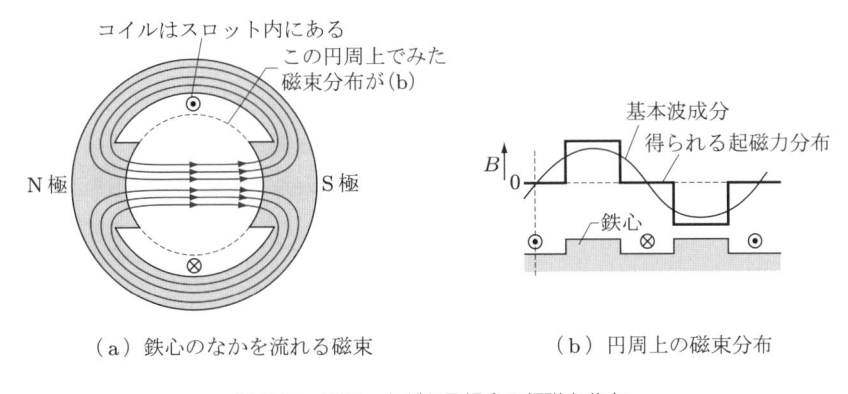

(a) 鉄心のなかを流れる磁束

(b) 円周上の磁束分布

図 7.17 スロットがある場合の起磁力分布

に示すようにコイルは鉄心のスロット内にあるとする．このとき，スロット以外のコイル間の一部分だけが鉄心の内径が小さくなっていることになる．これが磁極である．理想的な鉄心では図（a）に示すように，磁束はすべて磁極を通ると考えられる．このときの磁束分布を，円周を切り開いて考えると図（b）のようになる．すなわち磁束は空間的に矩形波状に分布する．このような分布をフーリエ解析すると図（b）に示すような正弦波の基本波成分が含まれていること

7　巻　線

とがわかる．

　巻線係数とは，このような磁束の分布において正弦波成分（基本波成分）がどの程度含まれているかを示している．コイルを複数のスロットに分布させたとき，コイルの巻数の分布ばかりでなく，スロット間隔も巻線係数に影響する．また，永久磁石モーターでは回転子側の磁石の極数によっても磁束分布が変化するので，固定子のスロット数と回転子の極数の組み合わせも巻線係数に影響する．

　巻線係数は一般に分布係数と短節係数の積で表される．すなわち，

$$k_w = k_d k_p$$

である．ここで，k_w：巻線係数，k_d：分布係数，k_p：短節係数 である．

　分布係数とは分布巻をしたときの起磁力の低下を示す係数である．突極集中巻の起磁力分布を図 7.18（a）に示す．このときの起磁力 F の振幅は巻数と電流により NI に比例する．この基本波成分を f とする．いま，この巻線を図 7.18（b）に示すように三つのスロットに分布させて巻線したとする．このとき，それぞれの巻線の巻数は $N/3$ とする．三つの巻線それぞれの起磁力は空間的に分布している．したがって三つを合成すると，最大値は NI となるが得られる起磁力波形は異なっている．図（b）は正弦波に少し近づいているのが見て取れる．この例は毎極毎相スロット数 $q = 3$ である．q を大きくすれば，ますます正弦波に近づくことがわかると思う．

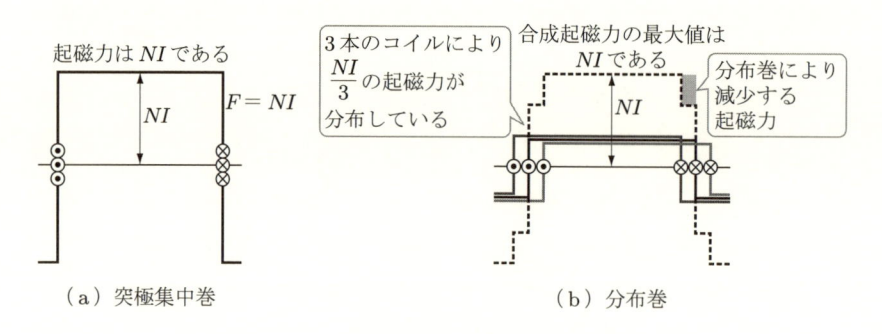

（a）突極集中巻　　　　　　　（b）分布巻

図 7.18　分布係数

7.4 巻線係数

次に，図 7.19 を使ってどのような基本波成分が含まれるかを考える．スロットピッチを α [rad] と仮定する．各巻線の起磁力の基本波成分のみを考える．するとそれぞれの基本波は図 (b) に示すように空間で α の位相差をもった正弦波と考えることができる．これらをベクトルで表すと図 (c) に示すように f_1, f_2, f_3 となる．合成起磁力はそのベクトル和 F' となる．それぞれの巻数を $N/3$ とすると，合成起磁力 F' は集中巻の基本波起磁力 F より低下する．この F'/F を分布係数 k_d という．

(a) 分布巻

コイルはこのように巻いてある
スロットピッチは α [rad]
コイルピッチと極ピッチは等しい

(b) 起磁力分布

各巻線の起磁力 $f_1 \sim f_3$ は α ずつ位相がずれている

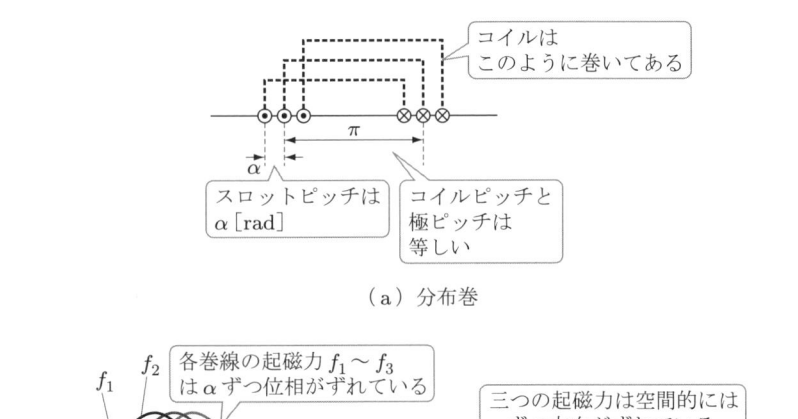

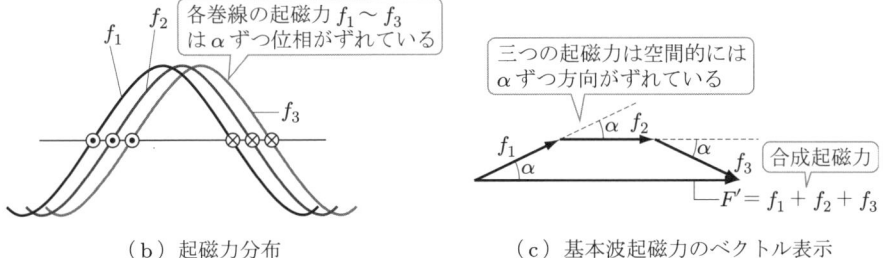

(c) 基本波起磁力のベクトル表示

三つの起磁力は空間的には α ずつ方向がずれている
合成起磁力 $F' = f_1 + f_2 + f_3$

図 7.19 分布数の基本波起磁力

以上の説明はコイルピッチが極ピッチと等しい全節巻の場合である．コイルピッチを極ピッチより短くした短節巻にしたときの起磁力の低下を表すのが短節係数である．図 7.20 (a) にコイルピッチが極ピッチより小さい場合の基本波起磁力の分布を示す．極ピッチは π であるが，コイル a-a′, b-b′ のコイルピッチは $\beta\pi$ ($\beta < 1$) である．このとき起磁力は a-a′, b-b′ の電流によって生じるとする．すると起磁力の基本波成分は f_a, f_b のように分布する．その合成起磁力

7 巻線

(a) 基本波起磁力の分布

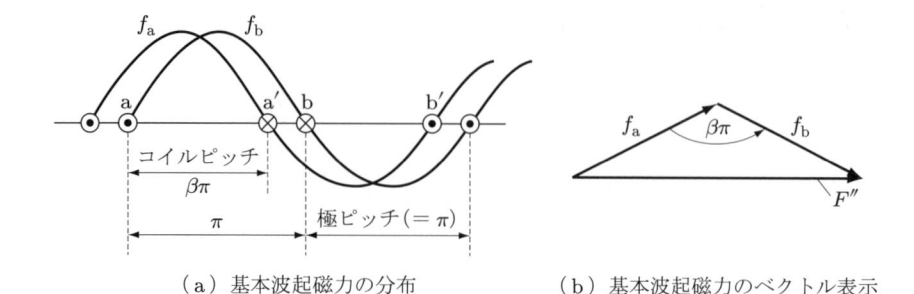

(b) 基本波起磁力のベクトル表示

図 7.20 短節係数

はベクトル和 F'' となる．合成起磁力は集中巻の起磁力の F''/F に低下する．これを短節係数 k_p とよぶ．

このほかスロットがななめスロットになっている場合，ななめスロット係数も含めることがある．

7.5 巻線機

ここでは，中小容量のモーターで使われるエナメル線を使ったコイルの巻線方法について述べる．このようなコイルをばら線とよぶ．

7.5.1 手挿入

大型のモーターや試作機ではコイルを手挿入する．手挿入とは，あらかじめ所定の巻数を巻いたコイルをステータの内側のスロット開口部から挿入する方法である．2 層巻などの分布巻では二つのコイルサイドを所定のスロットに順次挿入してゆく．コイルの傷等を防ぐため木製のヘラなどを使って挿入する．図 7.21 に手挿入の状況を示す．

7.5.2 インサータ

分布巻で，かつ同心巻の場合，インサータを用いて自動巻線する．インサータの原理を図 7.22 に示す．スロットに対応する爪（インサータ）にコイルを巻き落とす．爪を下からコアに挿入することによりコイルがスロット内に収まる．

図 7.21 巻線の手挿入（コイルを内径側から入れてゆく）
（(有) モーションテックシステム 斉藤守弘社長 提供）

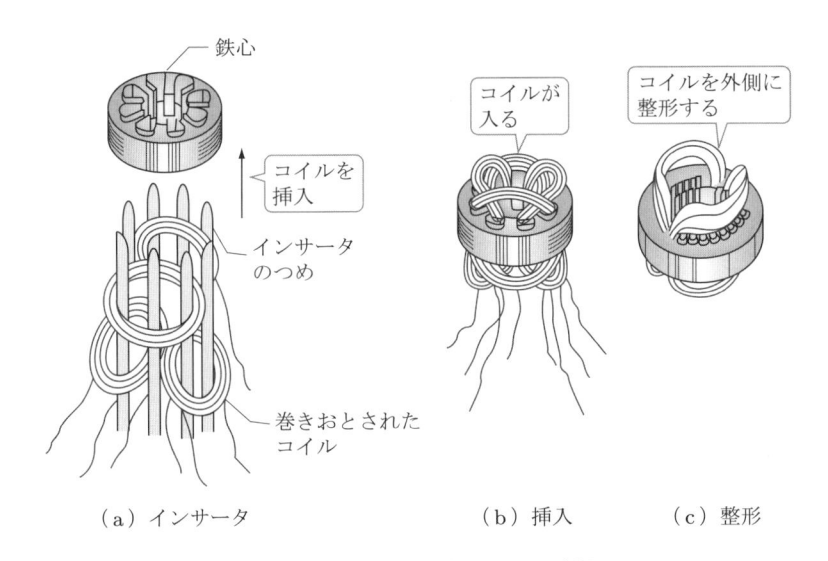

（a）インサータ　　　　　（b）挿入　　　　（c）整形

図 7.22 インサータによるコイルの挿入

　爪を抜いてもコイルはスロット内にとどまる．一度に全コイルをインサートすることも可能であるが，何回かに分けて行う．インサータにより挿入したコイルは図（b）のようにコイルエンド部分が乱雑になっている．そこで，図（c）のようにコイルエンドを外径側に広げ，さらに整形する．

7.5.3 突極集中巻の巻線機

突極集中巻の場合，ティースに直接巻線することになる．1スロットずつコアを分割した場合を考えよう．このとき図7.23に示す二つの方法での巻線が考えられる．軸回し方式は，ボビンやコイルが回転してコイルを巻き取る方式である．フライヤー方式とは，本体は固定したままでワイヤを大回しするフライヤーが回転してワイヤを巻きつける方式である．いずれの方式もワイヤのテンション（張り）を一定にすること，および巻線を整列させる（送り）を精密に制御している．

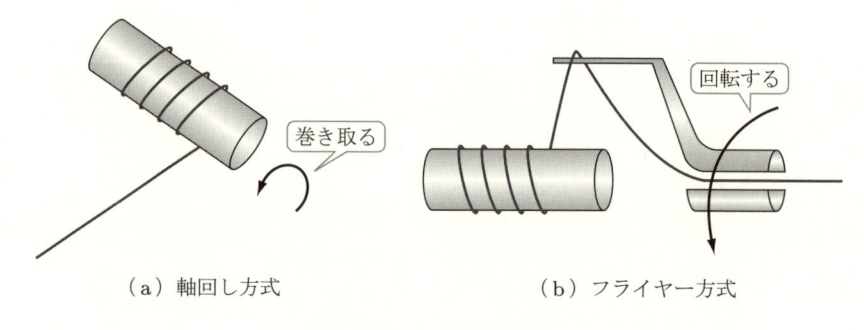

（a）軸回し方式　　　　　　（b）フライヤー方式

図 7.23　集中巻の巻線法

コアの形状によっては巻線用ノズルが用いられる．フライヤー方式にノズルがついたと考えればよい．図7.24に示すように，ノズルの先端はスロット開口部からスロット内部に入っており，巻線を整列させるように移動してゆく．分

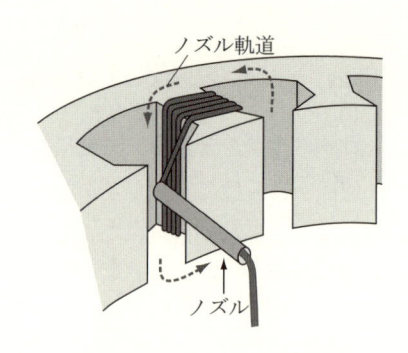

図 7.24　ノズルによる巻線

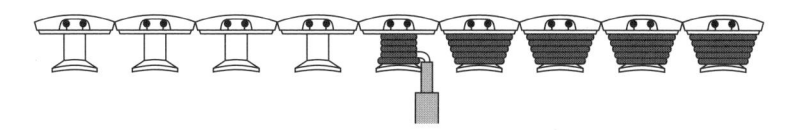

図 **7.25** ノズルによる巻線の例

割コアの場合でも，図 7.25 のような連結コアではノズル方式が採用される．

7.6 占積率

占積率 (space factor または slot factor) は，スロットの断面積のうち何%の面積を巻線が占めているかの指標である．巻線の巻数が同一の場合，断面積を大きくして巻線抵抗を小さくすれば銅損が低下する．占積率は設計というより，いかにうまく巻線作業ができるかという指標になる．一般に占積率がいくつであるかという数字は独り歩きする．しかし，占積率の定義は統一されていない．いくつかの定義がある．ここでは，例に基づき，各種の占積率の定義によりどのように数値が変わるかを述べる．

あるスロットに 20 本の巻線が挿入されているとする．これを図 7.26 に示す．スロットは幅 3 mm，深さ 6 mm の長方形とする．スロットの内側にはスロット

（a）スロット　　　　　　（b）巻線

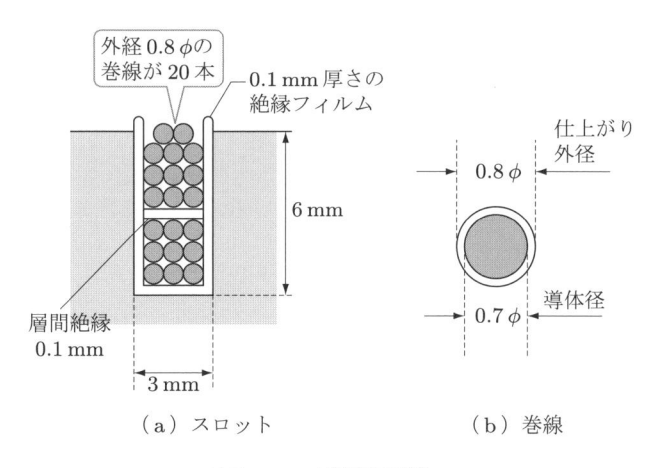

図 **7.26** 占積率の計算

7 巻線

絶縁用の 0.1 mm 厚のフィルムがあるとする．また巻線は仕上がり外径が 0.8 mm で導体径が 0.7 mm とする．またスロット内には層間絶縁として 0.1 mm 厚のフィルムが 1 枚あるとする．

まず，スロットの面積を考える．すると，次のように二つのスロット断面積が考えられる．

(a) 鉄心に設けられた実際のスロットの断面積は，
$$S_1 = 3 \times 6 = 18 \quad \text{mm}^2$$
である．

(b) スロットのうち，巻線が入ることが可能な断面積は絶縁フィルムの断面積を除いた部分である．したがって，巻線可能なスロット断面積は
$$S_2 = 2.8 \times 5.8 - 2.8 \times 0.1 = 15.96 \quad \text{mm}^2$$
となる．

次に 20 本の巻線の断面積を考えてみる．

(1) 実際に電流を流す部分である導体の断面積は
$$W_1 = (0.35)^2 \pi \times 20 = 7.693 \quad \text{mm}^2$$
である．

(2) マグネットワイヤの仕上がり外径で考えると，
$$W_2 = (0.4)^2 \pi \times 20 = 10.05 \quad \text{mm}^2$$
となる．

(3) マグネットワイヤの外径の長さを一辺とする正方形と考えると，
$$W_3 = (0.8)^2 \times 20 = 12.8 \quad \text{mm}^2$$
となる．

占積率を求めるには分母は (a) または (b) とし，分子は (1)〜(3) のいずれかで求める．たとえば，次のように三つの占積率が考えられる．

$$SF_1 = \frac{(3) 角線扱いの巻線断面積}{(b) 絶縁除くスロット断面積} = \frac{12.8}{15.96} = 80.2 \quad \%$$

$$SF_2 = \frac{(2) ワイヤの外径の断面積}{(a) スロット鉄心断面積} = \frac{10.05}{18} = 55.8 \quad \%$$

$$SF_3 = \frac{(1) 導体の断面積}{(a) スロット鉄心断面積} = \frac{7.69}{18} = 42.7 \quad \%$$

このほかにも組み合わせは合計6通りある．同一のスロットとコイルの組み合わせでも定義により占積率は40％台であったり，80％であったりする．もちろん，それぞれの定義により理論的な上限が異なる．すなわち，上限の限界が100％ではない．したがって，占積率を議論する際には，どのようにして求めた占積率であるのかを明らかにする必要がある．

8 軸受と振動

　モーターは回転子が回転する．回転子と静止している固定子を組み合わせるためには軸受が必要である．軸受とは文字通り軸の重量を受けて支えるための部品である．軸受には摩擦などの動力損失がなく，摩耗せず，騒音も発生しないことが要求される．しかし，現実の軸受は理想的な軸受ではない．

　モーターを運転すると必ず振動と騒音が発生する．振動も騒音も回転により発生するのであるが，機械的な原因と電磁気的な原因がある．機械的な原因とは真円でないものが回転するために理想的な回転運動が得られないことによるものである．電磁気的な原因とは，コイルに流れる電流の電磁力によるものである．一般的には回転数の整数倍の振動騒音は機械的原因，電源周波数の整数倍の振動騒音は電磁気的原因であることが多い．本章では，軸受および振動騒音についての概要を説明する．

8.1　軸　受

8.1.1　軸受とは

　軸受 (bearing) とは，回転する軸の荷重を支え，摩擦による損失，発熱が小さくなるように工夫された部品のことである．軸受は，すべり軸受と転がり軸受に大きく分類される．すべり軸受は，図 8.1 (a)に示すように軸と軸受がすべり接触する．一方，転がり軸受は，軸に固定された内輪と外部に固定された外輪の間に玉やころをいれ，転がり接触する．すべり軸受は液体または気体の膜で軸を支持している．流体軸受とよばれる軸受もすべり軸受である．

　軸受はまた，支持する荷重の方向でラジアル軸受およびスラスト軸受という分類もされる．ラジアル軸受とは半径（ラジアル）方向の荷重を支持するための軸受であり，スラスト軸受とは軸（アキシャル）方向の推力（スラスト力）を支持するための軸受である．ラジアル力とスラスト力を図 8.2 に示す．ラジア

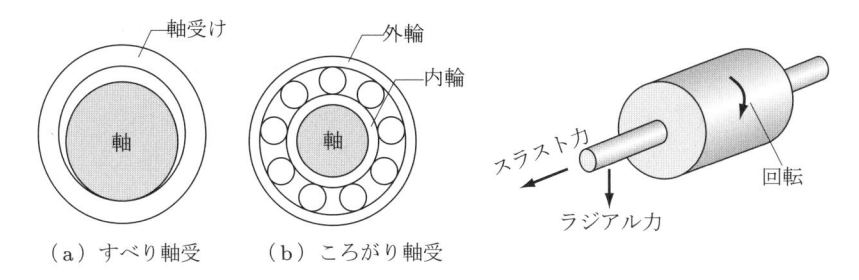

図 8.1　すべり軸受と転がり軸受

図 8.2　ラジアル力とスラスト力

ル軸受は一般的にスラスト方向の荷重も同時に支持できる．しかし，スラスト軸受はラジアル力を支持できないと考えたほうがよい．

　軸受の性能は DN 値で表示される．これは軸受の内径（つまり軸の外径である）D [mm] と最大回転数 N [rpm] の積である．軸受の摩擦係数は一般的にすべり軸受では $\mu = 0.1 \sim 0.5$，転がり軸受では $\mu = 0.001 \sim 0.005$ といわれており，非常に小さい．摩擦係数は軸受の性能指標としてはあまり使われない．

8.1.2　転がり軸受

　転がり軸受は外輪と内輪の間に転動体があり，外輪と内輪が異なった別々の回転をする構造になっている．図 8.3 に示すように転動体として玉を使ったものを玉軸受，ころを使ったものをころ軸受という．

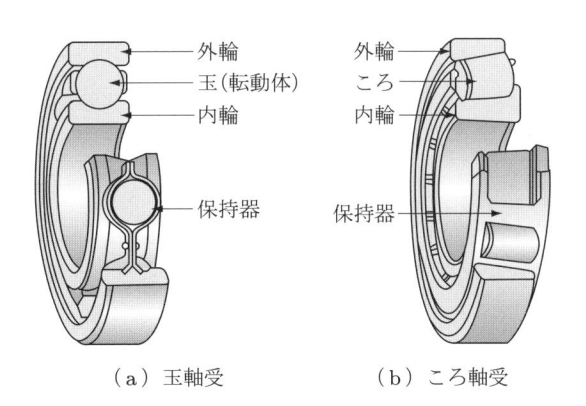

図 8.3　玉軸受ところ軸受

玉軸受は構造により種々の分類がされている．もっとも一般的なものは図 8.4（a）に示す深溝玉軸受である．内外輪の溝の半径は玉よりもわずかに大きく作られており，玉と内外輪は点接触する．深溝玉軸受はスラスト力，ラジアル力およびその合成力を受けることができる．深溝玉軸受は構造が単純でもっとも広く使われている軸受である．

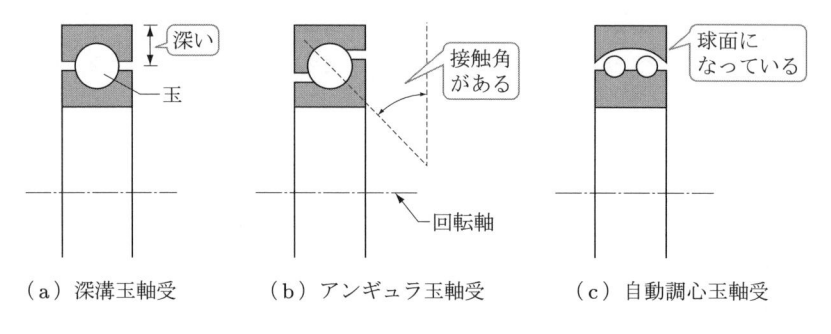

（a）深溝玉軸受　　（b）アンギュラ玉軸受　　（c）自動調心玉軸受

図 8.4　玉軸受

アンギュラ玉軸受は内輪，外輪と玉がある角度をもって接触するようになっている．これによりラジアル荷重とスラスト荷重を同時に受けるのに適するようになっている．しかし，ラジアル力がスラスト方向に分力されてしまうので 2 個を相対して使用してスラスト力を打ち消す必要がある．

自動調心玉軸受は，外輪の内径を球面にして玉および内輪がやや自由に動けるようになっている．そのため軸の取り付け誤差やたわみがあっても軸受中心と軸心が自動的に調心される．ただし，玉が浅く入っているのでスラスト方向の荷重には弱い．

ころ軸受は，転動体がころ（円柱）なので転動体と内外輪は線接触している．そのためラジアル荷重に対しての能力が高い．したがって，高速回転にも耐えられる．図 8.5（a）にもっとも単純な円筒ころ軸受を示す．図に示した構造ではスラスト荷重に対する能力はほとんどない．

円すいころ軸受は，内外輪の転動面が円すい形になっている軸受である．円すいころ軸受はラジアル荷重，スラスト荷重とも受けられる構造になっている．ただし，ラジアル荷重のみの場合 2 個相対して使用する必要がある．図 8.5（b）

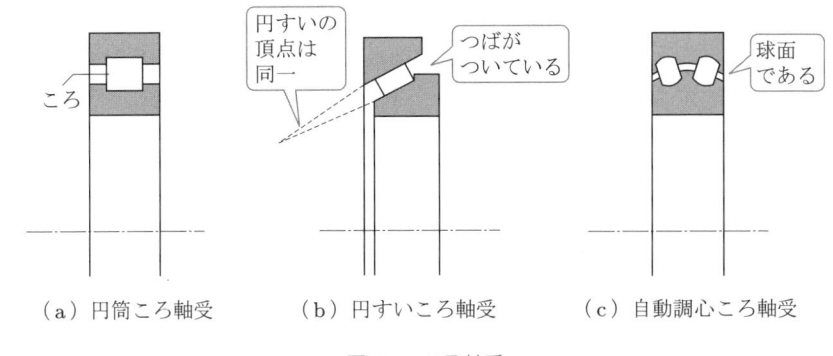

```
       ころ          円すいの        つばが           球面
                     頂点は        ついている         である
                     同一
```

（a）円筒ころ軸受　　（b）円すいころ軸受　　（c）自動調心ころ軸受

図 8.5　ころ軸受

に示すように，外輪ところ付き内輪に分解できるので組み立てが容易である．

　自動調心ころ軸受は外輪の内径が球面になっている．図 8.5（c）に示す．この場合，ころは円柱状ではなく，樽形である．この構造はラジアル荷重の負荷能力が高く，しかも自動調心できるので取り付け誤差や軸のたわみにも対応できる．大型モーターでよく使われる．

　スラスト玉軸受を図 8.6 に示す．スラスト玉軸受では回転軸側を内輪，静止側を外輪とよぶ．スラスト玉軸受はラジアル荷重は受けることができない．また，遠心力により内部の潤滑材が飛び出してしまうので高速回転では使えない．

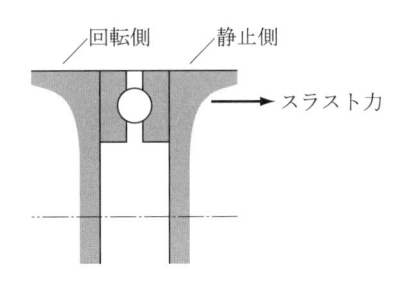

```
          回転側    静止側
                            → スラスト力
```

図 8.6　スラスト玉軸受

■ 8.1.3　すべり軸受

　すべり軸受は，すべり面に作動流体の膜を生成して荷重を受ける軸受である．すべり軸受は作動流体により油軸受，空気軸受などとよばれる．また，軸

の用途からラジアル荷重を支持するジャーナル軸受[*1]とスラスト軸受に分類する場合もある．さらに，強制的に一定の油膜圧力を発生させる静圧軸受と，軸などの相手面の運動によって油膜圧力を発生させる動圧軸受に分類することもある．

すべり軸受のさまざまな形状を図 8.7 に示す．図（a）は軸，軸受とも真円である．図（b）に示すように中間にブッシュとよばれるリングを入れるものもある．ブッシュは軸よりも低速で回転するので軸とブッシュ間，およびブッシュと軸受間のすべり速度を低下させることができる．図（c）は部分軸受である．円周の一部が軸受になっている．図（d），図（e）は多面軸受ともよばれる．軸とすべり面の距離が一定でなく，油溜りがあることにより油膜の圧力発生をしやすくしたものである．

含油軸受とは，焼結含油金属とよばれる多孔質[*2]の金属を使用した軸受であ

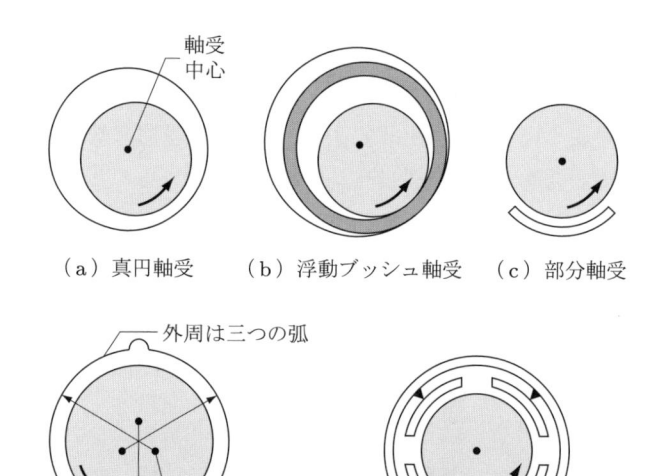

（a）真円軸受　（b）浮動ブッシュ軸受　（c）部分軸受

（d）3 円弧軸受　　（e）ティルティングパッド軸受

図 8.7　すべり軸受

[*1] ラジアル軸受とまったく同じ意味であるが，すべり軸受ではこのようによばれることが多い．
[*2] スポンジのように空孔が多くある物質．ポーラス (porus) といわれる．

る．含油金属（オイルメタル）にあらかじめ潤滑油をしみ込ませ，回転による熱膨張で油を軸受のすきまにしみださせる．構造が簡単なため比較的安価であり，特別な潤滑装置を必要としないという特徴がある．小型モーターではよく使われている．

すべり軸受の特徴は，流体潤滑で支持されるので寿命が長いことである．負荷能力が速度とともに増加するので，荷重が速度とともに増加するような場合に有利である．また，転動がないので騒音が小さい．油膜で衝撃を吸収できるので耐衝撃性があるという優れた点がある．

すべり軸受材の性能の指標の一つに PV 値がある．PV 値とは，軸受面圧 P にすべり速度 V（軸の周速と考えればよい）をかけた値である．単位は MPa・m/s である．

■ 8.1.4　潤滑と取り付け

滑り軸受では，軸受と軸のすきまの中にある流体に発生する圧力で軸受にかかる荷重を支えている．これを流体油膜圧力という．油膜圧力は図 8.8 に示すように二つの発生メカニズムがある．くさび油膜圧力の発生原理を図（a）に示す．くさび油膜圧力は軸の回転により軸と軸受の間の油が粘性のために先細りの空間（くさび状のすきま）に引きずりこまれることにより発生する．しぼり油膜圧力の発生原理を図（b）に示す．しぼり油膜圧力は軸が軸受のすきまが狭くなる方向に移動したとき，油の粘性のために油が逃げ出さずに発生する圧力である．すなわち，滑り軸受では油（潤滑油）の粘度が非常に重要な役割を果

（a）くさび油膜圧力　　　（b）しぼり油膜圧力

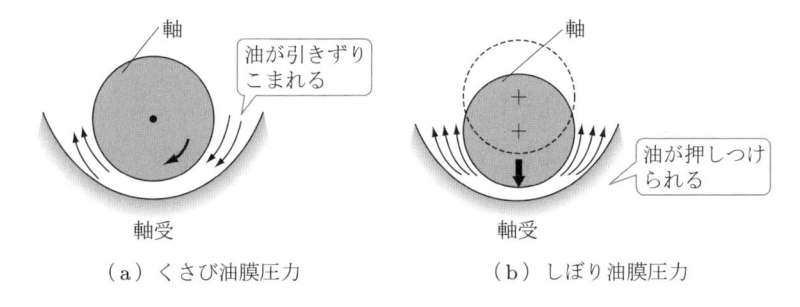

図 8.8　油膜圧力の発生原理

8　軸受と振動

たしている．

　ころがり軸受でも油を使った潤滑をしている．潤滑する目的は，転がり面および滑り面に薄い油膜を形成して，金属と金属が直接接触するのを防ぐことである．金属どうしが接触すると摩耗，焼き付きが生じる．転がり軸受では潤滑により次のような効果が得られる．

① 摩擦および摩耗の軽減
② 摩擦熱の排出
③ 軸受寿命の延長
④ さび止め
⑤ 異物の浸入防止

　一般に潤滑材が多いと撹拌のための動力が大きくなり，発熱する．そのため，必要最小限の潤滑材が長期間安定して供給できることが重要である．軸受の潤滑方法としては，ポンプなどの供給装置を設ける方法と，あらかじめグリースを封入したシールド型軸受がある．シールド型軸受は手軽に使用できるため，多くのモーターで使われている．

　オイルミスト潤滑は潤滑油を滴下し遠心力により霧状になることを利用する．さらに潤滑油を圧縮空気で送り込むエアオイル潤滑もある．また，循環給油や油ポンプを利用した強制循環給油もある．これらは潤滑油により軸受の熱を排出する効果も大きい．

　軸受を取り付ける際に電気系のエンジニアが犯しやすい注意点を述べる．転がり軸受は内輪と外輪とで構成され，通常は外輪が他の部品に固定され，内輪と軸が回転する．軸に取り付ける回転部品（軸受を止めるための部品や軸に取り付ける歯車やプーリなど）は，図 8.9 に示すように内輪とだけ接触するようにしなくてはならない．回転部品は外輪とは接触させてはいけないのである．

　また，回転軸は一つの軸受で支持せず，必ず二つ以上の軸受で支持する．複数の軸受を使ったとき，軸受には均等な荷重が加わるようにする．図 8.10 に示すように，回転体の重心に対して均等に取り付ける必要がある．また軸の一端だけを支持する片持ち支持は軸および軸受にかかる負担が大きく，設計が難しい．さらに，軸受の外側に荷重がある場合（オーバーハング），二つの軸受の距

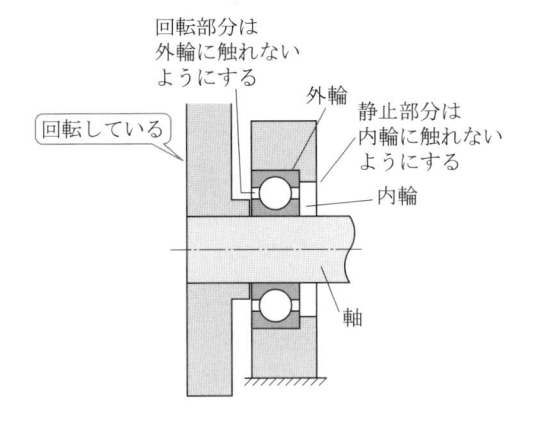

図 8.9 軸受の取り付け

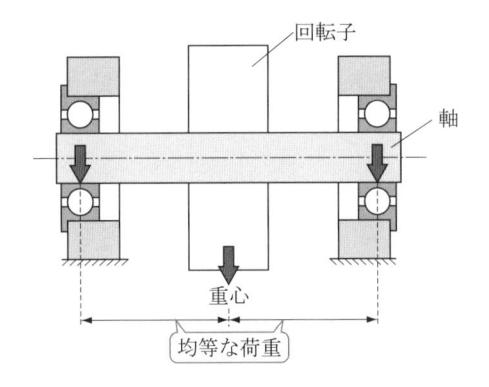

図 8.10 軸と軸受

離が近すぎるとみそすり運動*1 をすることがある．軸受の選定および取り付け方法は機構設計のプロに相談すべきである．

8.2　バランス

　理想的なモーターであれば回転して生じる遠心力の総和はゼロになる．すなわち，回転による振動は発生しない．しかし，回転体の重心と回転運動の中心がずれていると不釣り合い（アンバランス）による振動を発生する．たとえば，キー

---

*1 回転している物体の回転軸が円を描くようにゆれること，歳差運動ともいう．

8 軸受と振動

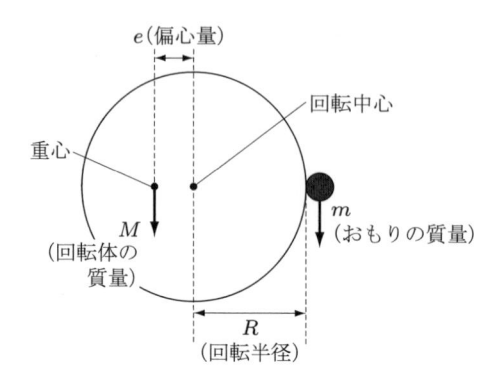

図 8.11 不釣り合いの修正

溝やねじ穴があればその分だけ重心は回転中心から移動しているはずである．

いま，図 8.11 に示すような回転体の重心と回転中心のずれによる不釣り合いがあったとする．この不釣り合いにより発生する力は次のように表すことができる．

$$F = Me\omega^2$$

ここで，F は不釣り合いにより発生する力，m は回転体の質量，e は偏心量である．

いま，偏心量 0.1 mm，回転数 $6000\,\mathrm{min}^{-1}$ とする．このとき

$$\begin{aligned}F &= m \times 1 \times 10^{-4} \times (2\pi \times 100)^2 \\ &= m \times 39.5\end{aligned}$$

となる．重力加速度 ($9.8\,\mathrm{m/s^2}$) の約 4 倍 (4 G) の力が発生する．不釣り合いにより発生する力がいかに大きいかがわかると思う．

このような不釣り合いは，偏心距離に応じたおもりを付加することで修正することができる．このときの修正量は次の式で表される．

$$M\,[\mathrm{kg}] \cdot e\,[\mathrm{\mu m}] = m\,[\mathrm{g}] \cdot R\,[\mathrm{mm}]$$

ここで，M は回転子の質量 [kg]，e は回転中心と重心の距離 [μm]：偏心量，m は不釣り合い修正に必要なおもりの質量 [g]，R はおもりの回転中心からの距離 [mm] である．

8.2 バランス

このように回転体の不釣り合いを低減する作業をバランス修正という．キー溝などの形状によるもののほか，密度の不均一，誤差の集積などにより不釣り合いが生じる．不釣り合いがゼロということは現実にはありえない．必ずアンバランスしているのである．

バランス修正で対象とするバランスには静バランスと動バランスがある．静バランスについて図 8.12 により説明する．図に示すようにローターを自由に回転できるように置くと，重い部分が必ず下にくる．このようなアンバランスを静的アンバランスという．このような場合，重心の反対側におもりをつけることによりバランス修正ができる．これを 1 面修正という．モーターの場合，おもりをつける位置はエアギャップに面しており，ここにおもりを取り付けるのはほぼ不可能である．

動バランスとは，回転することにより生じるアンバランスである．このアンバランスは回転により初めて生じるアンバランスである．動的なアンバランスは両側の軸受に対してそれぞれ異なる方向に生じる．そのため，図 8.13 に示すように 2 か所で修正する必要がある．これを 2 面修正という．

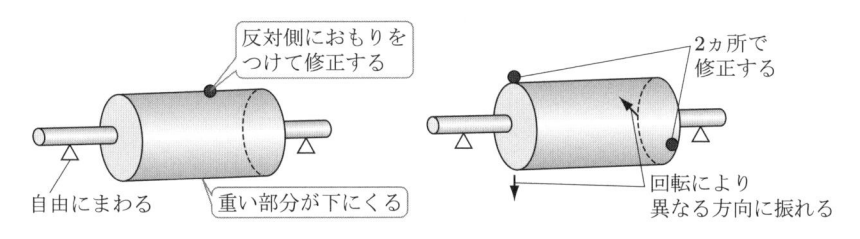

図 8.12 静バランスの修正

図 8.13 動バランスの修正

バランス修正は，おもりをつける代わりに反対側に穴をあける減質量によっても可能である．動釣り合い試験機は，回転子を回転させることにより回転子の振動を検出し不釣り合いの大きさと位置（角度）を測定する．これにしたがってバランス修正することが可能である．

釣り合いの良さは次のように数値化される．

$$\text{釣り合いの良さ} = \frac{e\omega}{1000} \quad [\text{mm/s}]$$

ここで，ω：使用最高角速度 [rad/s]，e：偏重心距離 [μm] である．この釣り合いの良さの数値を使って釣り合い等級[1]で示される．釣り合い等級とは，たとえば G16 なら，釣り合いの良さの上限が 16 mm/s，G1 というのは釣り合いの良さの上限が 1 mm/s という意味である．

8.3 危険速度

不釣り合いによる加振力により軸系がたわむ．このたわみによる振動と軸系の固有振動数が一致する回転数を危険速度という．たわむと軸系は曲げ振動しながら回転する．つまり振れ回り運動をする．曲げ振動の固有振動数と共振する回転数が危険速度である．

いま，モーターの回転子を質量 m の円板と考え，モーターの軸はばね定数 k の弾性体と考える．このとき，図 8.14 のように円板−軸系には曲げ振動が発生する．この曲げ振動の固有振動数 f_n は次のように表される．

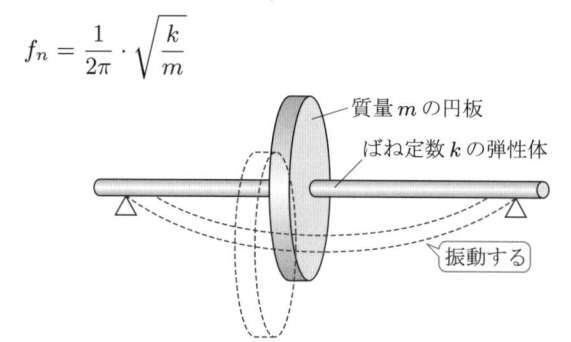

$$f_n = \frac{1}{2\pi} \cdot \sqrt{\frac{k}{m}}$$

図 8.14 円板−軸系の曲げ振動

この固有振動数と軸の回転数が一致した場合，たわみ振動が非常に大きくなる．そのため固有振動数を回転数で表示し，危険速度とよんでいる．

危険速度以下では軸のたわみと遠心力の方向は一致している．しかし，危険速度以上の回転数では軸のたわみと遠心力は反対方向となり，軸は重心を中心に振れ回る．

---

[1] JIS B 0905

(a) 1次モード　山が一つ

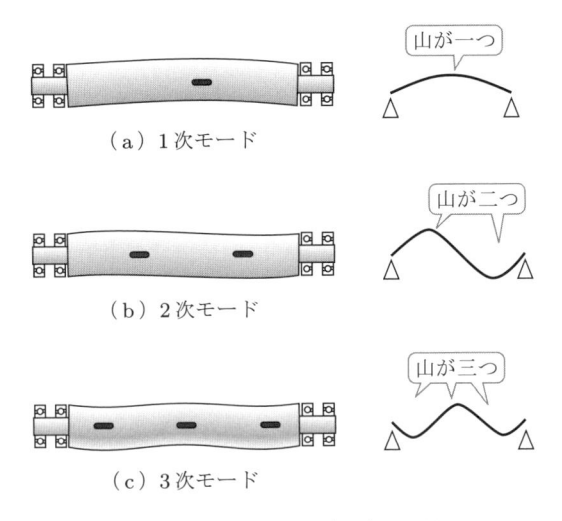

(b) 2次モード　山が二つ

(c) 3次モード　山が三つ

図 8.15 回転子の曲げ振動モード

このような固有振動は図 8.15 に示すように振動のモードがある．それぞれ，固有振動数を回転数で表したものを 1 次，2 次の危険速度とよぶ．

8.4　振動と騒音の違い

　モーターから振動や騒音が発生する場合，モーター内部の振動がそのまま外部に伝わっているか，モーターの筐体が騒音を発生していることが想定される．ここではモーターと機械などのモーターの負荷の騒音について考える．

　一般に騒音は図 8.16 に示すように，何らかの力により物体が振動し，その振動が音となって空気中に放射される．加振力と運動（振動）の関係をメカニカルインピーダンスという．メカニカルインピーダンスは機器，部品などの振動しやすさを示している．

　物体の駆動点に加えられる加振力 F [N] と，これによって駆動点に生じる速度 ξ [m/s] との比をメカニカルインピーダンスという．

$$Z_M = \frac{F}{\xi} = R_M \pm jX_M$$
$$\phi = \tan^{-1}\frac{X_M}{R_M}$$

8 軸受と振動

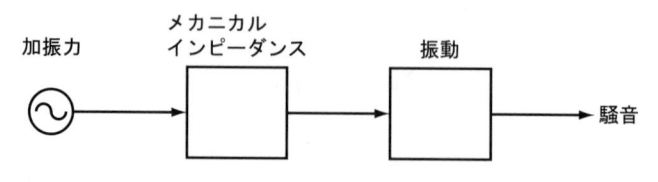

図 8.16 騒音発生のメカニズム

ここで，$|Z_M|$ をその大きさ，R_M を機械抵抗，X_M を機械リアクタンスという．また

$$\phi = \tan^{-1} \frac{X_M}{R_M}$$

はその位相角を表す．メカニカルインピーダンスの周波数による変化を図 8.17 に示す．メカニカルインピーダンスを用いれば電気回路と同じように振動の周波数特性を考えることができる．

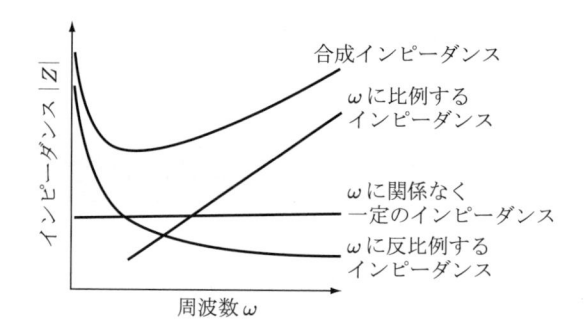

図 8.17 メカニカルインピーダンス

　モーターで問題になる振動騒音はモーターが加振力を供給している．ここでいう加振力とはモーター内部で発生する力である．機械的な原因の場合，回転数の整数倍の周波数であり，電磁気的な原因の場合，電源周波数，インバータのスイッチング周波数などの電気量に関係する周波数の整数倍であることが多い．
　機械などの構造物は変形する力を与えられると元に戻ろうと逆方向に変形する．これが繰り返し起こるため振動が発生する．この振動は重量，長さなどによって固有の振動となる．この振動周期を固有値，固有振動数という．外部か

ら固有値で強制振動された場合，物体の振動振幅は理論的には無限大になる．これを共振という．モーターの固有値およびモーターで駆動される負荷の固有値との共振があると振動や騒音が発生しやすい．

　回転体の振動には曲げ振動，ねじり振動がある．曲げ振動の固有値と共振する回転数が前節で述べた危険速度である．またこのほかに回転体の振動としては不釣合いによる振動と回転変動による振動も考慮する必要がある．

> **COLUMN**
> **耳を澄ませば**
> 　モーターに耳を近づけて発生する音を聞いてみると音色でどんなメカニズムで出ているのかがわかることがあります．
> 　「ごろごろ」音は軸受の摩擦音です．回転により生じる音です．
> 　「こつこつ」音はスラスト方向の振動により生じる音です．
> 　「ひゅー」音は内蔵のファンによる風切り音です．
> 　「びー」音は交流電源の周波数の 2 倍の音です．
> 　「ぴー」音は高周波の電磁加振力による音です．
> 結構このような表現でも音の原因がわかるような気がしませんか．

8.5　磁歪と電磁加振力

　モーターで発生する加振力として磁歪と電磁加振力がある．磁歪とは電磁鋼板などの磁性材料が発生する振動である．

　磁歪とは，磁性材料の磁化の強さが変化することにより材料の寸法が変化する現象である．磁性体の原子間距離は磁化により磁化方向にわずかに伸びる．それにより結晶の寸法が変化する．図 8.18 に磁化と磁歪の関係を示す．磁歪は磁化の周波数の 2 倍の加振力となる．また，磁歪はヒステリシス特性があり，磁束の増加と減少で大きさが異なる．一般に磁歪は 10^{-6} 程度であり，ごくわずかな量である．なお，磁歪は高周波でも発生するので使用する周波数の磁歪の大きさを評価する必要がある．電磁鋼板の場合，磁歪は板の厚み方向でなく，面方向に伸縮する加振力となる．

　電磁加振力は磁界および電流と磁界の相互作用により発生する．電界による加振力はモーターの場合，ほとんど問題にならない．

磁界が磁性体の内部に侵入すると図 8.19 のような力が働く．直流磁界の場合，吸引力または反発力であり振動とはならない．交流磁界の場合，図 8.20 に示すように磁界の周波数の 2 倍の周波数の力が発生する．磁束密度 B となる磁界により発生する力 F は次のようになる．

$$F = \frac{B^2}{2\mu}$$

ここで，μ は磁性体の透磁率である．

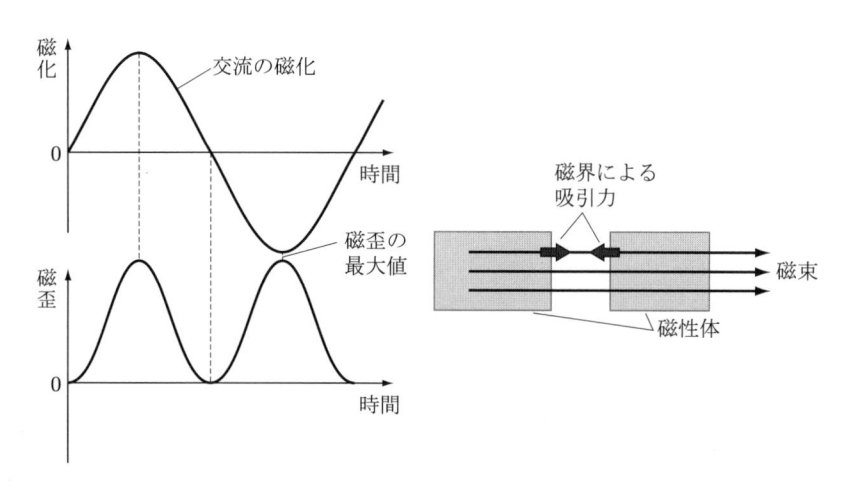

図 8.18　磁化による磁歪の発生

図 8.19　磁性体に働く力

また，磁界中を電流が流れるとフレミングの左手の法則で示される電磁力が生じる．これも加振力となる．このような電磁気的相互作用による加振力は主にエアギャップの磁束により発生する．主磁束の基本波によるものと高調波磁束によるものがある．主磁束による加振力は基本波周波数または 2 倍の周波数である．高調波は，モーターの構造から決まる空間的な高調波とインバータのスイッチングなどによる時間的な高調波がある．前者の場合，モーターのスロット数，極数などに関係する周波数である．後者の場合は，インバータのスイッチング周波数の整数倍である．

モーターの電磁加振力は，コイルに力を発生させる場合と鉄心に力が発生する場合がある．コイルが振動する場合，コイルそのものからの騒音発生もある

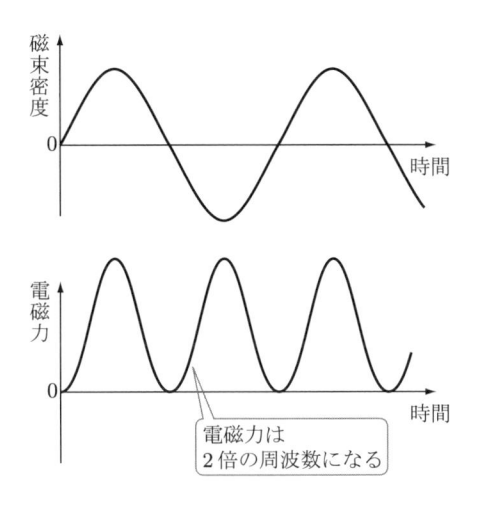

図 8.20 磁界により発生する電磁力

が，多くの場合，コイルの振動が加振力となり鉄心を振動させる．コイルや鉄心の振動が加振力となり，フレームなどが振動し空気に伝わると音波となり騒音となる．

このほか，モーターのトルク脈動に起因する加振力からも振動騒音が生じることがある．

8.6 騒音とは

音とは空気中を伝播する波動である．この波動は大気の圧力変動が生じることによるものである．つまり，圧力変動（音圧）を用いれば音を表すことができるはずである．波動なので数値的に表すには音の高さを周波数で，大きさを振幅で表すことが可能なはずである．しかしながら人間に聞こえる音の大きさは音のエネルギーで決まる．つまり，人間にとっての音の大きさは音圧（圧力変動）の 2 乗に対応する．したがって騒音は音圧だけでなく，電気量のようにパワーやエネルギーも用いて表す．騒音は次のような表示により扱う．

① 音圧レベル (sound pressure level) [Pa]
② 音の強さのレベル (sound intensity level) [W/m^2]

③ 音響パワー (sound power level) [W]

人間の聴覚は音圧が 10 倍になると音の大きさは 2 倍に感じられる．人間の聞き取れる音圧（可聴音圧）は 20 μPa から 200 Pa までの広い範囲にわたっている．そのため，最少可聴音圧に対しての比の対数値をとりデシベルで表す．すなわち 20 μPa を 0 dB とし，40 μPa (2 倍) は 6 dB，200 μPa (10 倍) は 20 dB として表す．

騒音は空気の振動であるが人間の耳にはすべて聞こえるわけではない．聴き取れる音の周波数としては一般に 20〜20 kHz といわれている．しかも，低い音，高い音は聞こえにくいのでうるさく感じない．そのため，実際の音圧レベルを人間の聴感に近づけて評価する．人間の聴感に近づける補正を A 特性といい，補正をしない場合 C 特性という．それぞれの補正特性を図 8.21 示す．これらの測定値はそれぞれ dBA，dBC と表示される．

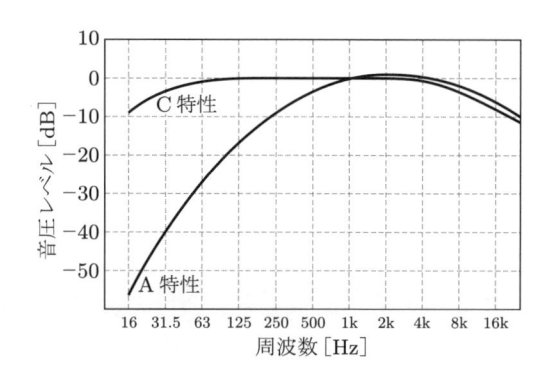

図 8.21　A 特性と C 特性

9 モーターの保護

　モーターは，摩耗する軸受などの部品を交換すれば何十年にもわたって長期間使用できる機器である．モーターの寿命とは最終的に焼損に至ることである．焼損とはコイルが高温になって絶縁物が焼失し，コイルが溶断してしまう状況である．

　焼損を防ぐために，運転中には損失による温度上昇が上限温度以下になるようにモーターから熱を取り去る必要がある．これを冷却という．冷却といっても周囲より温度を下げることではない．抜熱ともよばれる．内部で発生した熱を外部に放出させモーターの温度を安定させることが目的である．

　何らかの理由でモーターに異常が発生し，焼損に至りそうな場合，事前にモーターを停止する必要がある．これをモーターの保護という．異常時には通常の損失以外に予期せぬ発熱が生じる．内部のコイルの短絡，地絡などは過電流を生じる．そこでモーターには適切な保護装置と冷却のしくみが組み込まれているのである．そこで本章では，まず発熱と冷却について述べる．

　また，モーターは電流を流す電気回路であり，インバータなどの電子機器とともに用いられる電子機械である．モーターには電子機器的な側面もある．モーターを流れる高周波電流が軸受を損傷したり有害な磁界を発生させたりすることがあることがある．本章では，モーターの意外なふるまいである漏えい電流とEMCについてもふれる．

9.1　モーターの温度上昇

　モーターを運転するとモーターの温度は周囲の温度より高くなる．これを温度上昇という．温度上昇の原因はモーターで発生する損失である．モーターが温度上昇した場合，高温状態が続くと絶縁物が劣化する．ここではモーターの発熱の原因について述べてゆく．

9.1.1 モーターの発生する損失

モーターの発生する損失は大きく分けて銅損，鉄損，風損，漂遊損に分類される．

(1) 銅損

銅損はモーターコイルの電気抵抗とモーターに流れた電流により発生するジュール熱である．銅損 W_c は次のように表される．

$$W_c = 3i^2 r$$

ここで，i はコイルを流れる電流の実効値である．電流波形が正弦波でない場合でも電流の実効値で損失が決まる．また，r はコイルの1相分の抵抗である．一般に直流抵抗を用いるが，電流の周波数が高い場合，表皮効果を含んだ交流抵抗で考える必要がある（10.3節参照）．なお，3 は相数である．発熱場所はスロットの内部のコイルサイドおよびコイルエンドである．温度が上昇するとともに抵抗値が大きくなることに注意を要する．

(2) 鉄損

鉄損は，磁界によりモーターコア（鉄心）に発生する損失である．鉄損 W_i は一般に次のように表される．

$$W_i = W_h + W_e$$

ここで，W_h はヒステリシス損，W_e はうず電流損である．鉄損については4.1.3項で述べている．

(3) 風損・漂遊損

モーターが回転すると回転子表面と空気が摩擦し，摩擦熱を生じる．さらに空気を撹拌するので撹拌のための流体抵抗を受ける．これらを風損とよぶ．このほか，鉄損，銅損，風損以外に発生する損失を一括して漂遊損とよぶ．モーターの性能を詳細に検討する場合には風損や漂遊損は考慮すべきである．しかし特殊なケースを除き，損失の大半は銅損と鉄損で占められる．一般に冷却すべき損失としては鉄損と銅損の発熱を考慮する．モーターの損失は電流，回転数，電流の周波数などのモーターの運転状態によって異なる．冷却を考慮する場合，モーターの運転状態に応じて冷却を考えることが必要である．

9.1.2 過電流

モーターが過電流状態になる原因を表 9.1 に示す．表では次の三つの主要原因を示してある．① モーターの負荷が過大である．② インバータなどのモーターを制御するパワーエレクトロニクス機器が異常動作してモーターに過大な電流を流してしまう．③ モーター内部で異常が起こり，過電流が流れる．

表 9.1　モーターの過電流

分類	過電流の原因	対応
負荷過大	モーターの定格を超えた出力または電流で運転する	電流値を監視してユーザーが過負荷を防ぐ
インバータ異常	インバータの不具合で不適切な電流が流れる	インバータの故障を防ぐため，通常インバータが停止する
モーター異常	絶縁不良により短絡電流が流れる	モーターの温度または電流を監視する

負荷の過大による過電流とは想定した過負荷より大きな負荷がかかった場合である．一般的には負荷の異常であることが多い．負荷が極端に大きい場合，モーターの発生トルクが不足し，減速，停止する．このとき電流を供給し続けると，停止状態のモーターに電源を供給することになる．モーターは回転していないと回転による誘導起電力がないので見かけ上のインピーダンスが小さくなる．そのため過大な電流が流れてしまう．

インバータなどのパワエレ機器の異常による過電流は，インバータ自身も過電流になっているということである．インバータの仕様とモーターの仕様がうまく合っていればインバータ側の過電流防止の動作により，モーターが損傷を受ける前に停止するはずである．

モーターの内部の異常により流れる電流は絶縁劣化によることが多い．絶縁劣化の初期にはわずかな電流の増加である．しかし，電流の増加は発熱の増加を招き，さらに絶縁劣化を進展させてしまう．絶縁劣化が進むとやがては短絡，地絡となり急激に過電流が流れてしまう．

■ 9.1.3　絶縁劣化

　モーターの絶縁システムには第6章で述べたように絶縁クラスが定められている．絶縁クラスにより使用できる温度の上限が定められている．上限温度を超えて運転を続けると絶縁性能が劣化してゆく．前述のように絶縁物は温度による反応の促進で絶縁性能が徐々に低下してゆく．

　モーターの絶縁は第6章の表6.3 (p.109) に示したように熱的要因ばかりでなく，電気的，機械的および環境的要因によって劣化する．しかし，絶縁の劣化は電流の増加を招き，それにより温度上昇する．したがって，温度上昇を監視すればモーターの絶縁が正常であるかをある程度監視できる．しかし，温度上昇の原因を探ることはできない．

9.2　モーターの保護

　モーターの保護とは運転中のモーターが焼損しないように停止させ，電流が流れないようにすることである．モーターは上限温度を超えて運転することにより絶縁劣化が進展して急激な過電流によりコイルが焼損する．また，上限温度を超えて運転していると軸受の潤滑が劣化し，焼き付きに至る．回転していないモーターに電流を流し続けると過電流でコイルが焼損する．そのため，温度を監視し，過電流を監視する必要がある．

　近年のインバータなどで制御されているモーターはインバータで電流をフィードバック制御していることが多い．そのため，過電流はインバータによりかなりの保護ができる．しかし，インバータが故障したときにはモーターに過電流保護が組み込まれていないとモーターも焼損してしまう．したがって，インバータなどのパワーエレクトロニクス装置で制御されているか否かにかかわらず，モーター内部に温度および電流の保護機能を有する必要がある．ここでは，モーターに組み込まれる各種の保護装置および保護の考え方について述べる．

■ 9.2.1　温度の保護

　モーターは，絶縁クラスから定まる許容温度以下で運転する必要がある．そこで，モーターが許容温度まで温度上昇しそうになった場合，モーターを停止

9.2 モーターの保護

させる.このような温度保護はモーターの温度を検出して,所定の温度になったら電流を遮断することにより行う.

モーターの内部に温度センサを組み込む.一般的にサーモスタットを用いる.サーモスタットは設定温度になると接点が開くスイッチである.図 9.1 に示すような 2 種類の熱膨張係数が異なる金属を貼り合わせたバイメタルを用いる.バイメタルは温度上昇により湾曲する.そのため常温時に接していた接点が温度上昇により開く.通常バイメタルの湾曲は小さいのでテコの原理を使って動きを拡大する.ディスク型の場合,バイメタルを球面状のディスクにしてばねのように跳躍動作をさせる.これにより動作時間が短くなる.ディスク型バイメタルの構造を図 9.2 に示す.

バイメタルは温度が低下すると自動的に湾曲が減るので接点は再び閉となる.しかし,手動復帰型のバイメタルというものがある.これは人為的に復帰ボタンを押さないとバイメタルが元の位置に戻らないようになっている.保護装置

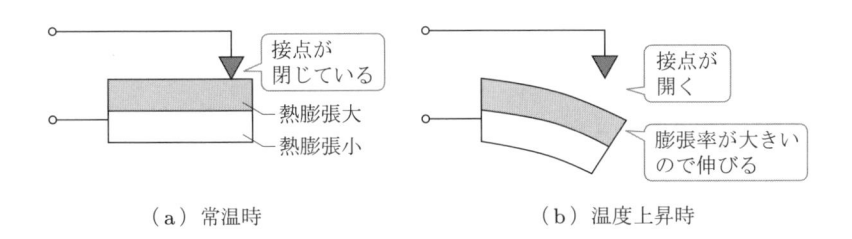

（a）常温時　　　　　　　　　（b）温度上昇時

図 9.1　バイメタルの原理

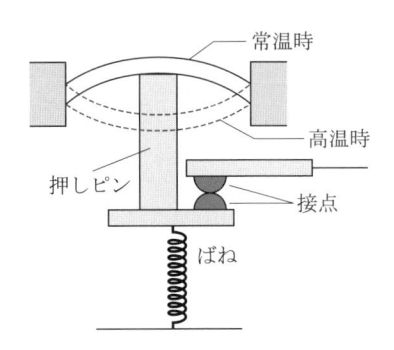

図 9.2　ディスク型バイメタルの構造

9 モーターの保護

が動作した後は自動的に再起動することなく，機器を点検し，安全を確認してから再稼働するような仕様の場合に用いる．

このほかサーミスタなどの温度センサを用いることもできる．バイメタル，温度センサはモーター内部のもっとも温度が高くなる位置に取り付けるべきである．多くの場合，コイル温度はスロット内で最も高い．スロット内に温度センサを埋め込むのは現実的ではないため，コイルエンドに取り付けることが多い．コイルエンドのコイルの層間に埋め込むタイプのサーモスタットを図 9.3 に示す．埋め込んだとしても冷却風の影響などを考慮した位置に取り付ける必要がある．動作温度はその位置にふさわしいものを使う必要がある．

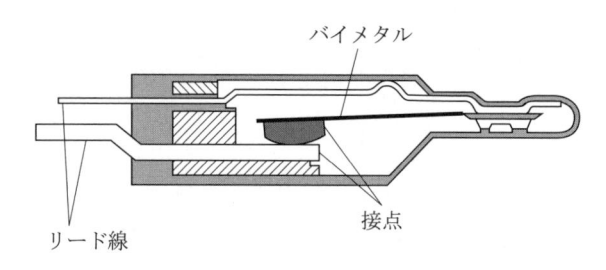

図 9.3 モーターコイルに埋め込むサーモスタットの構造

■ 9.2.2 モータープロテクター

モータープロテクターとよばれる保護装置はバイメタルとヒーターを組み合わせたものである．過温度と過電流を一つのプロテクターで保護できる．サーマルリレーと類似の機能をもっている．図 9.4 に原理を示す．モータープロテクターはモーターのコイルに直列に接続する．モーター電流をヒーターに流し，さらにバイメタルでオンオフ動作する接点にも流すことになる．モーターの運転電流で常時ヒーターを加熱している．定格電流が流れているのであればバイメタルは設定した温度で動作する．逆にモーター電流が増加して過電流になるとヒーターの発熱が増加し，温度が低くてもバイメタルが動作する．

モータープロテクターは接続された相の電流しか検出しない．したがって，接続されていないコイルの短絡などの過電流を検出できない．そこで図 9.5 のように 3 相コイルのうちの 2 相に取り付けられる．3 相の合成電流がゼロにな

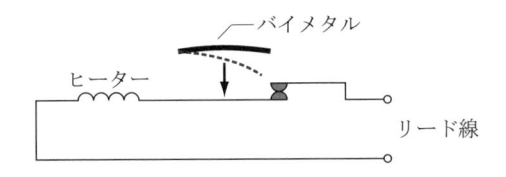

図 9.4 モータープロテクター

ることを考慮すれば，プロテクターの取り付けられていない相が過電流になっても取り付けられた相の電流も増加するのである．ただし，プロテクターの取り付けられていない W 相の地絡の場合だけは検出できない．

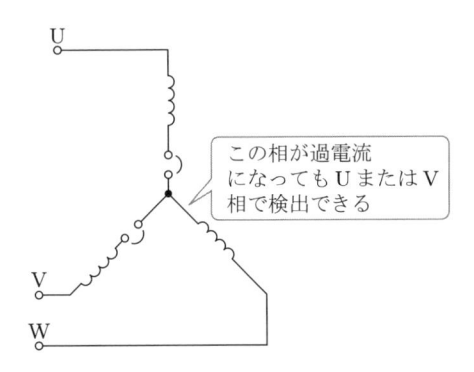

この相が過電流になっても U または V 相で検出できる

図 9.5 3 相モーターの保護

また，このようなプロテクターは誘導モーターの拘束状態の電流を対象にしており，過電流の検出レベルが高い．そのため 3 相モーターの欠相状態の検出が難しい．すなわち欠相運転していても軽負荷であれば電流がそれほど大きくなく，電流での検出が難しい．その場合，温度上昇が小さいと保護できない．

小型のモーターでは，インピーダンスプロテクトが行われる．これは，モーターが回転していなくてもモーターのコイルのインピーダンスにより電流が制限されることである．これにより過度な温度上昇を防ぐことができる．そのため，わざわざコイルのインピーダンスを大きくすることもある．インピーダンスプロテクトの評価は 18 日間拘束状態が続いても耐えられること，となっている．

9 モーターの保護

　サーマルリレーとは過電流がある時間以上流れると接点を開く機能をもったリレー（電磁接触器）である．サーマルリレーはヒーターとバイメタルからなる．サーマルリレーがモータープロテクターと異なるのは過電流のみで動作することである．そのため，図 9.6 に示すように，定格電流では動作しない．電流の増加とともに動作するまでの時間が短くなる．図で示したように定格電流の 10 倍近くになると瞬時に動作する．

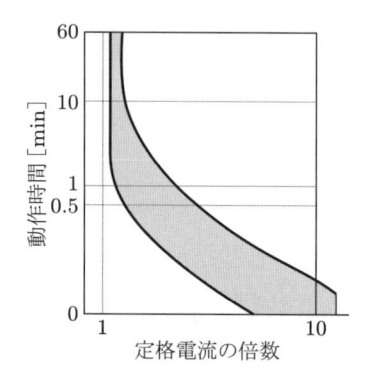

図 9.6 サーマルリレーの動作

COLUMN

クリクソン

　モーターに使うサーモスタットやプロテクターはクリクソンとよばれます．クリクソン (Klixon) は，かつてテキサス・インスツルメンツ社が製造していたプロテクターの商品です．現在ではもう製造していないようです．現在でもカタログの商品名にクリクソンと表示している会社もあります．一般名になったようです．サーモスタットは温度に達するとクリック動作するのです．手動復帰させるときも指で押すとクリックという音がします．なかなかうまい名前をつけたものです．

9.3 伝熱と冷却

　モーターで発生した熱は発熱部から外部へ伝熱する．伝熱には大きく分けて，輻射，対流および固体伝熱がある．輻射は熱エネルギーが赤外線となって他の部分へ熱を伝えるものである．発熱部分の温度が高い場合には輻射による伝熱が無視できなくなる．俗にいう，あぶられる，という伝熱である．

9.3 伝熱と冷却

　モーターの冷却には主に対流が用いられる．空気または水などの流体が発熱部に触れて，そこで熱交換して熱を流体に移動させる．ファンなどで強制的に対流させて冷却することもあるが，熱された空気が上方へ移動することによる自然対流も発生する．水，油などの液体の場合には液体の通路を設ける必要がある．通路の壁と熱交換するので流体の経路をよく考える必要がある．また軸などの金属部品の固体中を伝熱して他の部品へ熱が移動する固体伝熱も冷却に有効である．モーター内部の熱の移動の概念を図 9.7 に示す．

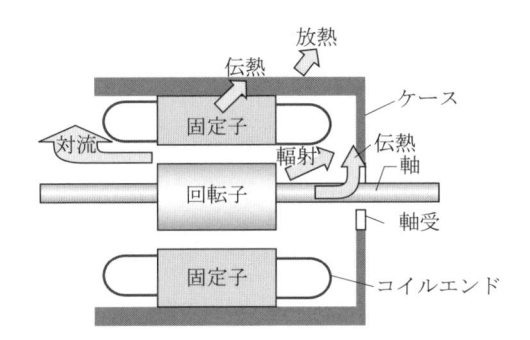

図 9.7 モーター内部の熱の移動

　固定子は外部から冷却しやすいが，回転子の発熱は冷却しにくい．そのため，回転子には風穴を開けることがある．風穴により放熱面積が増えるばかりでなく，周囲の空気が移動できる流路になる．また，回転子に放熱フィンをつけると放熱面積が増え，回転による熱交換量が増加する．回転子の冷却法を図 9.8 に示す．

　伝熱を考える上で大切なのは，絶縁物が所定の上限温度以下になるようにすることである．冷却に関する伝熱を考えるとき熱抵抗を用いる．いま，モーターコイルの温度を T_c とする．T_c を予測するために，熱抵抗 R_{th} (K/W) を用いる．熱抵抗を用いると伝熱をオームの法則で表すことができる．ここでは自然空冷を例にして，モーターコイル温度と外部の空気の温度の関係を説明する．

$$T_c = T_a + P \times (R_{th_{c-i}} + R_{th_{i-f}} + R_{th_{f-a}})$$

ここで，T_a は空気温度，P はモーターの損失 (W)，$R_{th_{c-i}}$ はコイルと鉄心の間の熱抵抗 (K/W) である．$R_{th_{i-f}}$ は鉄心とフレームの間の熱抵抗で，通常はや

9 モーターの保護

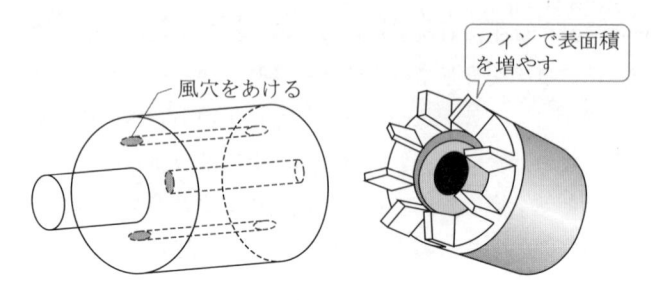

図 9.8 回転子の冷却法

きばめを用いているので熱抵抗は小さい．$R_{th_{f-a}}$ はフレームと外部の空気の間の熱抵抗である．

伝熱の様子を熱抵抗を使って伝熱回路図で表すと図 9.9 のようになる．モーターコイル温度 T_c はスロット内部のため測定できない．フレーム温度 T_f，空気温度 T_a は測定可能である．放熱設計はこれらの諸量を用いて行う．

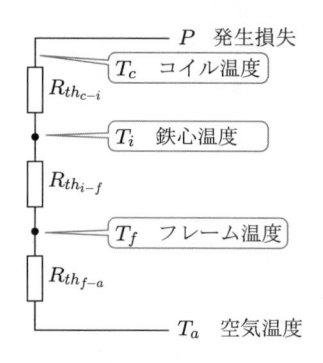

図 9.9 熱抵抗による伝熱の表現

実際には，伝熱ルートが直列並列に複雑な様相になっている．そのため，伝熱回路網として表す必要がある．また，冷媒があるときは冷媒の流速に応じた熱抵抗を用いることで表すことができる．

冷却するということは，他の物質に伝熱することによってそのものの熱をうばって温度を低下させることである．このとき熱の移動に用いる媒体を冷媒という．冷媒が空気の場合を空冷とよび，水の場合は水冷，油の場合は油冷とい

う．熱により発生する対流（自然対流）を利用する場合と，強制的に冷媒を循環させる場合がある．冷却による熱の移動は放熱面の面積と冷媒の流量に関係する．空冷の場合，風量および風速が冷却量を決定する．

このことは冷却を検討する場合，構造物の形状がもっとも大切であることを示している．すなわち，放熱面の面積が大きい構造が必要である．外部にフィンをもつのはこのためである．また，空気や液体が流れやすい流路構造が必要である．流路での流体の流れやすさを示すのに圧力損失（圧損）が使われる．圧力損失が大きいときには流体の流速が落ちるので流量が低下する．したがって，冷却能力が低下する．モーターの場合，エアギャップを冷媒通路としたいのであるが，断面積が小さく圧損が大きい．

液体冷媒の場合，絶縁の効果も得られる．しかし液体冷媒がエアギャップに入ることは液体の摩擦による大きな風損を発生させることになる．

冷却法としては次のような順で冷却効果が得られる．

① 対流による自然空冷
② ファンによる強制空冷
③ 水による冷却
④ 油による冷却
⑤ 冷媒による冷却

水や油のような熱容量の大きな物質は空気より冷却能力が高い．しかし，空気の場合は外部に熱を放出する（捨てる）だけであるが，水，油での冷媒を使用すると循環冷却システムが必要になる．さらに冷媒が漏れて減らないような通路の確保が必要である．

9.4　漏えい電流と軸電流

モーターのコイルは絶縁したマグネットワイヤが使われる．さらに鉄心との間にはフィルムやワニスなどの種々の絶縁物で覆われている．絶縁物とは誘電体であり，誘電率をもつ．したがって，コイルと鉄心の間には図9.10に示すように次のような静電容量 C が表れる．

9 モーターの保護

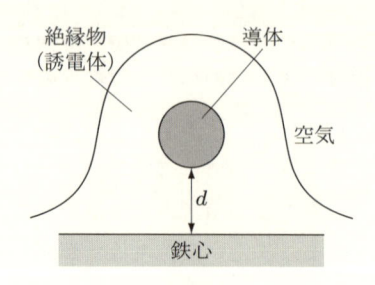

図 9.10 導体と絶縁体による静電容量

$$C = \frac{S}{4\pi\varepsilon d}$$

ここで，d は誘電体の厚み，S は対向面積である．

　つまり，モーターの絶縁システムは鉄心との間に $Z = 1/j\omega C$ のインピーダンスをもつことになる．静電容量なので周波数が高いほどインピーダンスは小さい．このような絶縁システムに高調波を含んだ電流が流れると，インピーダンスを介して導体から鉄心に高周波電流が流れる．これを漏えい電流という．漏えい電流は商用周波数ではそれほど問題にならないが，インバータのスイッチング周波数では無視できない電流となる．

　漏えい電流は，主にインバータのスイッチングによって発生する高周波の成分のみの電流である．図9.11にインバータで駆動されたモーターのフレームからアースに流れる漏えい電流の波形を示す．インバータのスイッチングごとにバースト状の電流が流れている．この電流波形にはインバータのスイッチング周波数とその整数倍の周波数成分が含まれている．この電流は図9.12に示すようにスロット内のコイルから固定子鉄心を通して大地へ流れる．また固定子鉄心とロータの間にも静電容量が存在する．

　フレームを通して大地に流れる漏えい電流により，わが国でよく使われている漏電遮断器 (ELCB) が誤動作してしまう．図9.13に示すように，漏電遮断器は3相の電力線を3本とも一つのCT[*1]コアに貫通させたゼロ相CTにより，漏電を検出する．すなわち，漏電していない場合，3本の線を流れる電流の和は常に0である．いずれかの相から大地に漏電するとバランスがくずれ，CTが電流

[*1] Current Transformer：電流検出用のセンサ．変圧器の原理を使う．

9.4 漏えい電流と軸電流

図 9.11 漏えい電流の波形

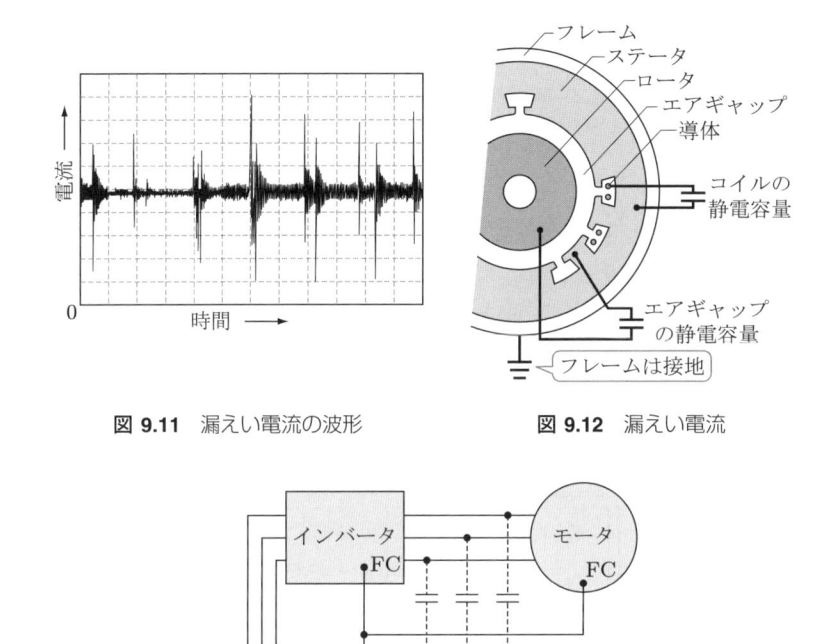

図 9.12 漏えい電流

図 9.13 漏えい電流と漏電遮断器

を検出する．このような原理なので，大電流の回路でも微小な漏電電流を検出できる．図 9.14 に示すように，わが国では電源相のうち 1 相が接地相である．そのため，大地に流れた漏えい電流は接地相の電流に重畳され，接地相の電流のみが見かけ上大きくなる．この状態は 3 相アンバランスがあるのと同じでありゼロ相 CT が検出してしまう．そのため，漏電状態と誤認識するのである．

漏えい電流はモーターの軸受けにも影響する．図 9.15 に示すように，モーターコイルから漏えいした電流はフレームに流れる．一方，モーターの回転子は機械と接続されており，大地の電位である．そのため軸受けの内外輪の間に漏えい電流に対応する電位差が生じる．通常軸受けのすき間はごくわずかなので，ここの電界強度 (V/m) は著しく高くなる．そのため内外輪間で絶縁破壊し

9　モーターの保護

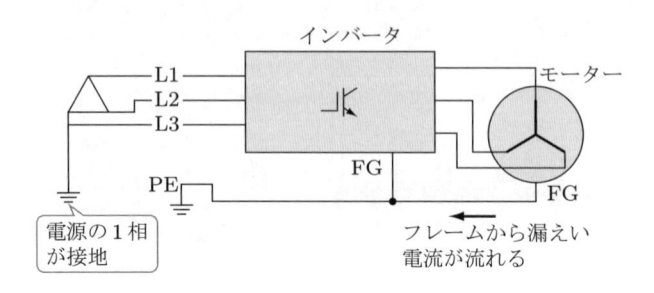

図 9.14　漏えい電流の流出

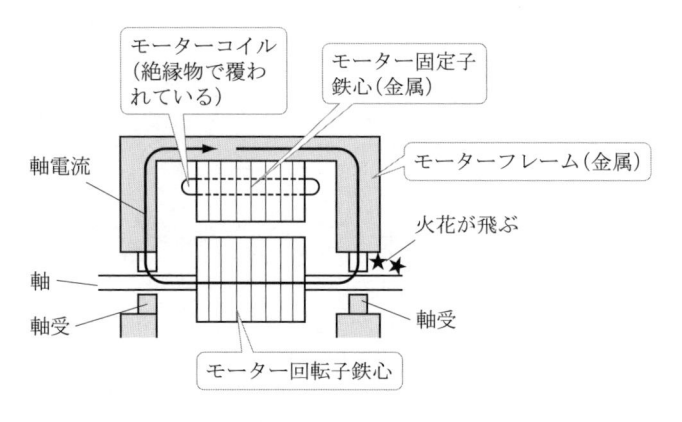

図 9.15　軸電流

てしまう．絶縁破壊による火花で軸受表面を損傷する．

　軸電流の評価は軸電圧の数値で行われる．軸電流は図 9.16 に示すような回路と考えることができる．したがって，図 9.17 に示すように軸受を絶縁したうえでブラシを使って軸と大地間の電圧を測定すればよい．たとえば軸電圧が 1 V あったとするとベアリングのすき間は数 μm としても数 10 kV/m の電界強度となってしまう．

　軸電流による軸受の損傷は電食とよばれる．軸電流のわずかな放電により軸受すき間にある潤滑油中で軸受表面が放電加工されることになる．そのため徐々に，フレーキング，ピッチング，フルーティングなど波模様の損傷部分を広げてゆく．そして，ついには焼き付きを招く．

　焼損を防ぐにはセラミックなどの絶縁型の軸受を使い，回転子を電気的に絶

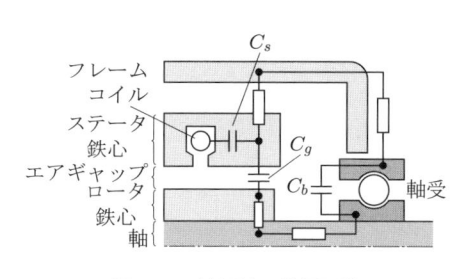

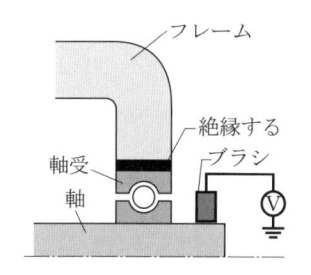

図 9.16 軸電流の等価回路 **図 9.17** 軸電流の測定

縁することが必要である．また，このときモーター軸と負荷機械の継手も絶縁型を使用することが必要である．大型機では絶縁型の軸受がなかなか使えないため回転子に図 9.17 に示すようなアースブラシを設け，回転子に生じた軸電圧をアースに流すことも行われる．

9.5 EMC

9.5.1 EMC とは

EMC (EMC：Electro-Magnetic Compatibility) とは電磁両立性，または電磁環境両立性とよばれ，電磁波などの電磁気的環境での性能を指す．両立性というのは電磁気的にどの程度他に妨害を及ぼすか (電磁妨害 EMI：Electro-Magnetic Interference) ということと，どの程度電磁妨害の感受性があるか (電磁感受性 EMS：Electro-Magnetic Susceptibility) の二つの指標を含んでいるからである．EMC は両者のレベルを統一し，電磁妨害の発生レベルを定めるとともに，そのレベルの電磁妨害では誤動作しないように求めるものである．

EMC で対象にしているのは，一般にはノイズというがこれを 2 種類に分類する．高周波の電磁波を放射性ノイズという．放射性ノイズの対象とする周波数は 30 MHz から 1 GHz である．また，電源線に流れる高周波の電流を伝導性ノイズという．伝導性ノイズは 150 kHz から 30 MHz を対象にしている．このような高い周波数はモーター自体で発生することはあまり考えられない．このような高調波が重畳している電流で駆動された場合のみ考慮すべきである．このときモーターのコイルはアンテナとなる．しかし，多くの場合モーターは金

9 モーターの保護

属フレームの内部にあり，それによりシールドされる．

ただし，注意すべきはモーターケーブルである．インバータとモーターの間のケーブルは第5章で述べたようにサージが伝播している．これがノイズ源となるのである．

■ 9.5.2 漏えい磁界

ヨーロッパで使用するためのCEマーキング[*1]の対象として，漏えい磁界の人体防護ガイドラインがある．図9.18に参考値を示す．これに対応して家庭用電気製品や電動工具などから漏えいする低周波磁界(10～400 kHz)について規格化する動きがある．モーターではフレームがシールドとなっており，外部に磁界が漏えいしにくい．しかし，フレームがない場合にはエアギャップの延長線上の漏えい磁界は高い数値を示すことがある．

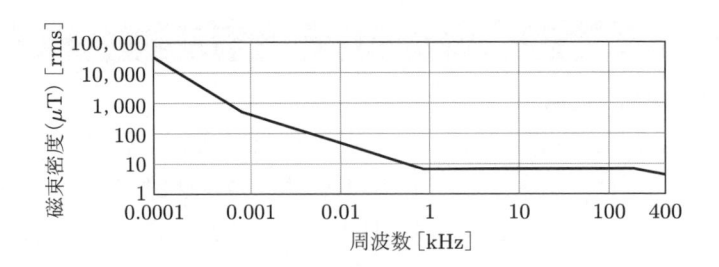

図 9.18　EC が勧告している人体の磁界防護に関するガイドライン

---

*1 EU 地域内で販売する指定製品に貼り付られる安全適合マーク．

10 モーターの試験法

　モーターの機能は，電流を流すとトルクを発生することである．したがって，モーターの性能を評価するためにはモーターがトルクを発生している状態で試験を行う必要がある．すなわち，性能試験のためにはモーターに負荷をかける必要がある．モーターに負荷をかけるということはモーターが発生する回転方向のトルクと反対方向のモーターを止めようとする力，すなわちブレーキをかけることである．本章では，モーターの性能評価に関する試験法を中心に述べる．

10.1 トルクの測定

　モーターの発生するトルクを測定するためには，モーターに負荷をかけて運転する必要がある．そのためには，モーターの発生するトルクに対抗するためのブレーキがないとモーターは発生したトルクでどんどん加速してしまう．負荷装置でモーターの出力を吸収する必要がある．

　モーターの発生トルクを測定する原理を図 10.1 に示す．測定したいモーターの出力軸にトルク検出器が接続され，さらに負荷装置が接続されている．モー

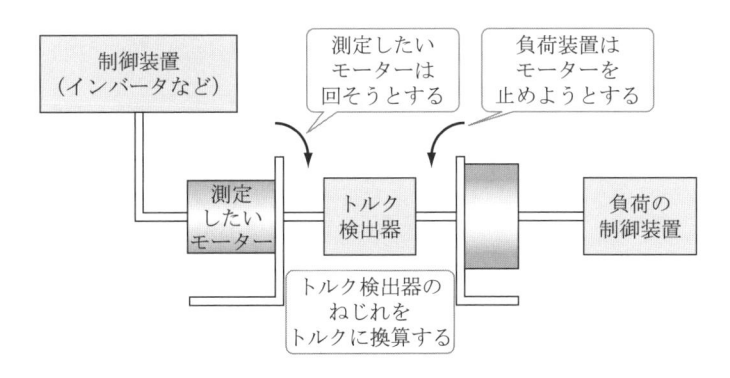

図 10.1 モーターのトルク測定の原理

ターを運転させるとトルクが発生しモーターが回転する．このとき，負荷装置が空転しているとすれば，各機器の軸受の摩擦などに相当するごく小さなトルクのみを発生してモーターは運転している．つまり，モーターは，ほぼ無負荷で運転している．

いま，負荷装置にモーターの回転方向と反対向きの力を発生させる．するとモーターは回転方向に回そうと働くが，負荷装置はそれを止めようと働くことになる．つまり，モーターと負荷装置の間に取り付けられたトルク検出器はねじれることになる．トルク検出器の原理は，このときのねじれた量を検出してトルクに換算するのである．トルク検出器内部の軸にねじれる部分がある．さらに回転軸に回転計を取り付けておけば，そのときの回転数も検出できる．回転数とトルクが検出できれば出力を求めることができる．

軸のねじれによりトルクを検出する方式を表 10.1 に示す．どの方法もモーターの発生するトルクと負荷のブレーキ力による軸の物理的なねじれを検出している．そのため，対象とするトルクに応じたトルク検出器を使う必要がある．大トルク用で小さなトルクを測定すると精度に問題がある．小トルク用で大きなトルクを検出しようとすると軸がねじ切れてしまう．大は小を兼ねないのである．図 10.2 に位相差方式によるトルク検出法の原理を示す．

表 10.1 ねじれによるトルク検出方式

方式	原理	特徴
位相差方式	ねじれ軸の両側に歯車を設け，軸がねじれると歯車の位相がずれることを検出する．図 10.2 に原理を示す．	歯車の位置を検出するのでディジタル的に検出できる．歯車の回転数も同時に検出可能である．
ひずみ方式	軸のねじれによるひずみを検出する．抵抗線ひずみゲージを使用する．	アナログ測定であり，ひずみゲージの出力を検出するための増幅器が必要．
磁歪式	軸のねじれによる磁歪効果を利用する．磁歪管ともいう．	アナログ測定であり，磁歪出力を検出するための増幅器が必要．

また，トルク検出器を用いずに，被測定モーターと負荷装置を直結し，負荷装置により直接トルクを測定する方法もある．このような測定を行う負荷を動力計という．動力計の原理を図 10.3 に示す．動力計の固定子側は回転方向に動

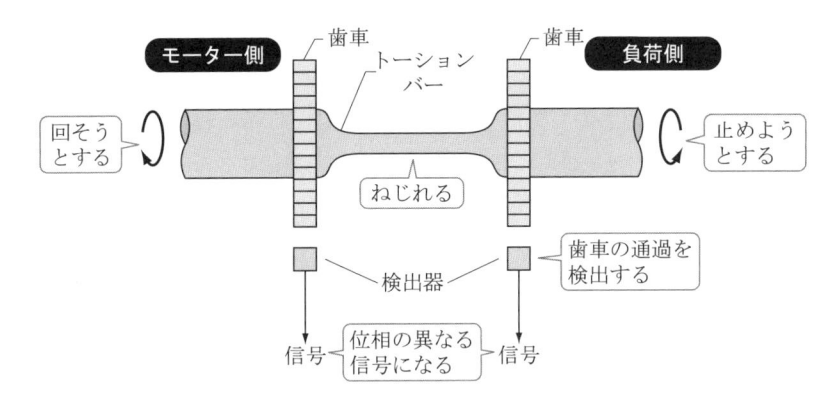

図 10.2 位相差方式によるトルクの検出

くことができるような自由度がある．モーターが動力計に接続され，モーターがトルクを発生すると動力計は反対方向のブレーキトルクを発生させる．モーターが動力計を回そうとすると動力計はその方向に回るまいとして力を発生する．これが反力である．反力に回転中心から反力の測定位置までの長さをかければトルクを求めることができる．反力の検出にはひずみゲージや磁歪を使うほかに，弾性体が移動する量を差動トランスで測定したり，電子天秤により力をロードセルで測定したりする方法がある．

動力計を用いる場合，動力計の吸収する動力を仕事 (W) として直接測定することも可能である．動力からトルクが計算できる．また動力計とモーターの間

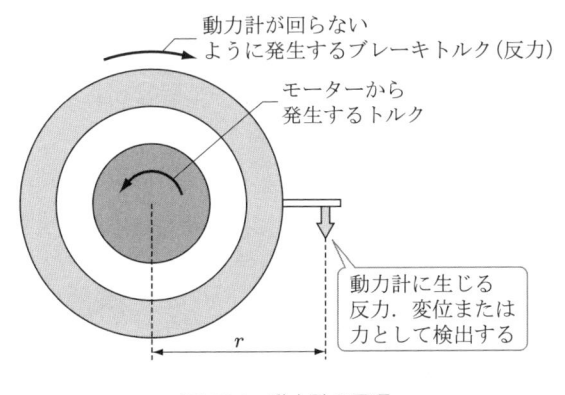

図 10.3 動力計の原理

10　モーターの試験法

にトルク検出器を入れてもよい．

　モーターにブレーキをかけるための各種の負荷装置を表10.2に示す．測定する速度範囲や精度などにより最適な負荷装置は異なる．なお，簡便に負荷を用意する場合，同一のモーターを2台用意し，軸を接続する．片方のモーターの端子に可変抵抗を接続すれば発電機として運転できる．可変抵抗の値により負荷が調節できる．ただし，このときの抵抗の定格電力はモーターの定格よりはるかに大きいものになることに注意を要する．

　コギングトルク[*1]の測定は負荷装置に代えてギアードモーターなどの低速モーターを軸に接続して行う．ギアードモーターにより超低速で測定対象のモー

表10.2　モーター試験のための各種の負荷

種　類	原　理	特　徴
ヒステリシスブレーキ	ヒステリシスの大きい材質の円板を磁界中で回転させ，磁気的にブレーキ力を与える．	ゼロ速で負荷がかけられる．低速ではコギングを生じるので向いていない．
うず電流ブレーキ	回転円盤に直流磁界をかけて内部にうず電流を発生させる．うず電流と磁界により制動力が生じる．	低速ではブレーキ力が発生しない．
ブローニブレーキ	機械的に摩擦をさせて負荷をかける．	精度が悪い．しかし簡便で安価．
パウダブレーキ	ブレーキの回転子と固定子の間に磁性粉末を入れ，直流磁界をかけることにより粉末が固体化して摩擦ブレーキ力を発生させる．	ゼロ速で負荷がかけられる．高速回転はできない．大トルクも可能．
水動力計	水の流動抵抗により動力を吸収する．	負荷の可変範囲が狭い．
発電機	発電機を駆動し発電によりトルクを発生させる．発電電力は電源に回生するか抵抗で消費する．	発電機の調整により測定範囲を広く設定できる．低速では不安定．
サーボモーター	4象限運転可能なサーボモーターにより負荷をかける．電源回生または抵抗で消費する．	測定範囲など自由に設定できる．測定システムの機械損をサーボモーターで補償できるので完全に無負荷の状態が発生できる．

[*1] 電流を流さずに軸を回したとき回転子と固定子の磁気吸引力が位置により変動することにより発生するトルク．

の回転子を1回転させる．このとき，回転角度とトルクを測定すればコギングトルクが測定できる．

モーターのトルク測定では，どのような測定システムにおいても軸受などの機械損は測定誤差になる．さらに，高速ではトルク検出器の機械損なども無視できなくなる．あらかじめ機械損を測定しておくことが望ましい．

> **COLUMN**
>
> **芯出し**
>
> モーターを他の機器に接続するときにカップリングを使って軸を接続します．このとき二つの回転体の回転軸を一致させなくてはなりません．同心度は，芯ぶれと面ぶれをチェックしなくてはなりません．図のように行います．
>
> （a）芯ぶれの測定　　（b）面ぶれの測定
>
> カップリングの測定
>
> 芯ぶれはダイヤルゲージを使います．マグネットチャックを使ってダイヤルゲージを片方のカップリングに固定します．他方のカップリングのぶれを測定するのです．
>
> 面ぶれはすきまゲージを使います．カップリングの間のすきまを測るのです．すきまが大きいときにはスペーサを入れます．
>
> カップリングごとに許容できるぶれが決まっています．そこまで調整するのは，あなたの腕にかかっています．

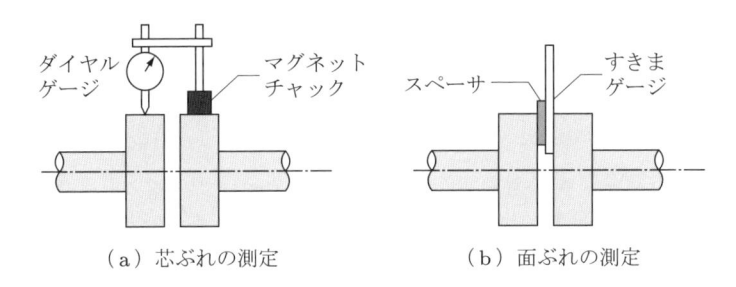

10.2 効率，力率の測定

商用電源で駆動するモーターの場合，通常の50または60 Hzに対応した電気量の測定器を使用すればよい．しかし，インバータで駆動するモーターの場合，電圧電流に高調波を含んだ歪波形になるので電力測定には注意を要する．

10 モーターの試験法

まず，交流の電力について，正弦波，ひずみ波を問わず基本となることを述べる．電力とは負荷により消費される電力である．一般に次のように表される．

$$p = ei$$

ここで p は負荷により消費される電力，e は負荷の電圧，i は負荷電流である．このとき p を瞬時電力という．交流の場合，電圧と電流に位相差がある．そのため，負荷に消費される有効電力 (active power．単位は W) のほかに負荷で消費されない無効電力がある．図 10.4 に示すように，電圧と電流に θ の位相差があった場合，有効電力は次のようになる．

$$P = EI \cos \theta$$

ここで，P は有効電力，E は e の実効値，I は i の実効値，θ は電圧と電流の位相差である．瞬時電力波形を見ると交流周波数の 2 倍の周期で変動していることがわかる．このとき電圧実効値 E と電流実効値 I の積 $EI = S$ を皮相電力 (apparent power．単位は VA) という．力率 (power factor) は皮相電力のうちの有効電力の割合を示している．

インダクタンスやキャパシタンスは電力を消費しないがエネルギーを蓄積，または放出する．このとき，インダクタンス，キャパシタンスは電源とエネ

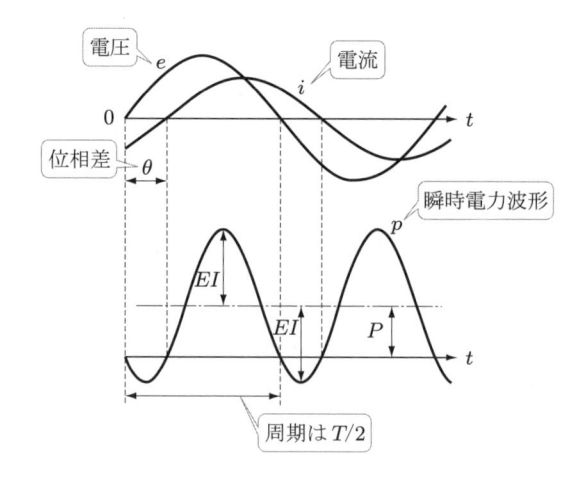

図 10.4 交流電力

ギーを授受することになる．インダクタンス，キャパシタンスが電源と授受する電力は無効電力 (reactive power) であり，次のように表される．

$$Q = EI \sin \theta$$

ここで Q は無効電力であり，単位は var である[*1]．

皮相電力，有効電力および無効電力は次の関係がある．

$$S = \sqrt{P^2 + Q^2}$$

3相交流の場合，電力は各相の単相電力の和となる．以上をまとめたものを表10.3に示す．

表 10.3　電力の定義

直流	直流電力	$P = EI$
単相交流	有効電力 無効電力 皮相電力 力率	$P = EI \cos \theta$ $Q = EI \sin \theta$ $S = EI$ $\cos \theta = P/S$
三相交流	有効電力 無効電力 皮相電力 力率	$P = 3EI \cos \theta$ $Q = 3EI \sin \theta$ $S = \sqrt{P^2 + Q^2} = 3EI$ $\cos \theta = P/S$

注）三相の E は相電圧．

ひずみ波形の電圧を負荷に印加すると，その結果流れる電流もひずみ波形となる．すなわち，電圧電流ともフーリエ級数を用いて次のように表されることになる．

$$v(t) = V_0 + \sum_{n=1}^{\infty} \sqrt{2} V_n \sin(n\omega t + \varphi_n)$$

$$i(t) = I_0 + \sum_{n=1}^{\infty} \sqrt{2} I_n \sin(n\omega t + \varphi_n - \theta_n)$$

このとき電圧実効値 V_{rms}，電流実効値 I_{rms} は次のように表される．

$$V_{rms} = \sqrt{V_0^2 + V_1^2 + \cdots + V_n^2}$$
$$I_{rms} = \sqrt{I_0^2 + I_1^2 + \cdots + I_n^2}$$

[*1] var は volt ampere reactive の頭文字と言われている．バールと読む．

さらに，ひずみ波の有効電力 P は次のようになる．

$$P = \frac{1}{T}\int_0^T p(t)\,dt = \frac{1}{T}\int_0^T v(t)i(t)\,dt$$

$$= V_0 I_0 + V_1 I_1 \cos\varphi_1 + V_2 I_2 \cos\varphi_2 + \cdots$$

$$= V_0 I_0 + \sum_{n=1}^{\infty} V_n I_n \cos\varphi_n$$

つまり，ひずみを含んだ波形の場合，電力は同じ周波数成分の電圧と電流の間の有効電力の総和になる．電圧，電流の双方に含まれる高調波成分の電力のみが有効電力に含まれるということである．つまり，電圧または電流のいずれかが正弦波であれば高調波成分は有効電力とならず，基本波成分のみを電力として考慮すればよいことになる．

またひずみ波の皮相電力は

$$S = V_{rms} I_{rms}$$

である．そのためひずみを含んだ波形の場合，皮相電力から求めた力率 PF は，

$$PF = \frac{P}{S} = \frac{P}{V_{rms} I_{rms}}$$

となる．これは総合力率とよばれる．総合力率とは高調波を含んだ皮相電力に対する有効電力の比率である．一方，電圧と電流の位相差は基本波力率とよばれる．基本波力率は電圧の基本波成分と電流の基本波成分の位相差である．次のように表される．

$$\cos\theta_1 = \frac{基本波有効電力}{基本波皮相電力} = \frac{V_1 I_1 \cos\theta_1}{V_1 I_1}$$

したがって，ひずみ波形で駆動されているモーターの入力電力を測定するためには高調波を含んでの電力が測定できるディジタルメータが必要である．ディジタルメータは，サンプリングした波形から瞬時の電力波形を求めて各種の演算をするので高調波を含めた電力計測が可能である．機種によっては皮相電力，無効電力，力率なども表示する．ディジタルメータの周波数特性はインバータのスイッチング周波数より十分高い必要がある．

また，3相電力を2電力計法で測定する場合，3相が不平衡状態では正しい値が出ない場合がある．このようなディジタルメータはディジタル AC パワーメータ，パワーアナライザなどの商品名で市販されている．

10.3 損失分離

測定したモーターの入力と出力の差が損失である．測定した損失をさらに分離検討する方法について述べる．ここでは損失＝銅損＋鉄損＋機械損とする．

10.3.1 銅損

銅損は 9.1.1 項に示したようにコイル抵抗により決まる．コイル抵抗値は温度により変化するので，運転前に測定した室温での抵抗値でなく，実際に運転した温度における抵抗値を用いるべきである．温度の測定は 10.4 節を参照のこと．

銅損を求めるときのコイル抵抗は一般には直流抵抗値を用いる．直流抵抗とは直流電圧と電流の関係から得られる抵抗値で簡便に測定できる．しかしながら，電流に高調波が含まれている場合，高周波成分には表皮効果が発生する．そのため，導体の表面近くは電流密度が高く，中心部は電流密度が低くなる．銅損を発生させる実効的な抵抗値としては交流抵抗を用いる必要がある．交流抵抗は導体の線径，波形により異なるが直流抵抗の 1.5 倍以上になることがある．この点は注意を要する．

10.3.2 機械損

測定損失から銅損を差し引けば鉄損＋機械損が得られる．機械損は直接測定することも可能である．また，軸受，風損などを個々に計算して求めることも可能である．ここでは，誘導モーターの試験中に行う機械損の分離法について述べる．

誘導モーターは，無負荷運転中に端子電圧を変化させてもほとんど回転数が変わらない．そこで，無負荷運転中に端子電圧を定格電圧から低下させる．同期速度を保てる最低電圧まで低下させる．そのときの電圧，電流，入力から鉄損＋機械損の特性を求める．図 10.5（a）に示すように電圧と損失の関係をプロットする．この線を $V=0$ まで外挿すると，その損失が，その回転数における機械損である．なお，鉄損は電圧の 2 乗にほぼ比例するので，図（b）に示すようにデータを片対数グラフで描くと直線で外挿できる．これにより鉄損と機械損が分離できる．

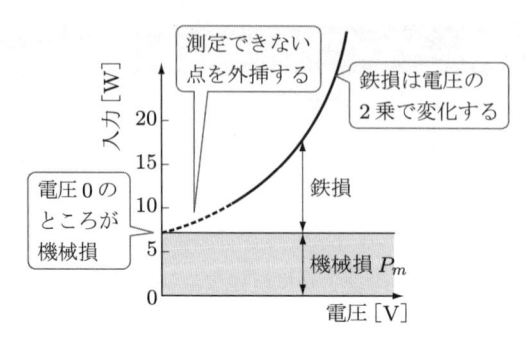

（a）通常のグラフで表す

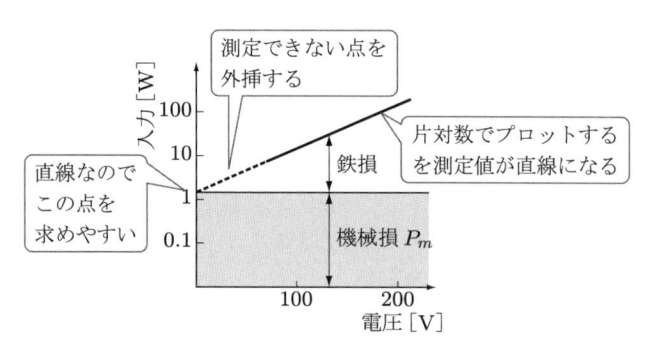

- 測定できない点を外挿する
- 鉄損は電圧の2乗で変化する
- 電圧0のところが機械損
- 鉄損
- 機械損 P_m

（b）片対数グラフで表す

- 測定できない点を外挿する
- 片対数でプロットすると測定値が直線になる
- 直線なのでこの点を求めやすい
- 鉄損
- 機械損 P_m

図 10.5　機械損の分離

10.3.3　鉄損の分離

鉄損は 4.1 節に示したように，次の式で表すことができる．

$$W_i = W_h + W_e = W_h = k_h f B_m^{1.6} + \frac{k_e}{\rho} t^2 f^2 B_m^2$$

ここで，W_h はヒステリシス損失，W_e はうず電流損失である．

いま，$B_m^{1.6} \approx B_m^2$ と近似できると仮定する．電圧が一定であれば磁束密度も一定となるので鉄損を次のように表すことができる．

$$W_i \approx p_h f + p_e f^2$$

ここで，p_h，p_e はそれぞれヒステリシス損失およびうず電流損失に関する係数である．この式を次のように変形する．

$$\frac{W_i}{f} = p_h + p_e f$$

この式を図に表すと図 10.6 のように直線になる．この直線を外挿し，$f=0$ のときの W_i/f を求めると，ヒステリシス損失に対応する p_h を求めることができる．つまり，周波数を変化させたときの鉄損を測定すればうず電流損失とヒステリシス損失は分離できる．

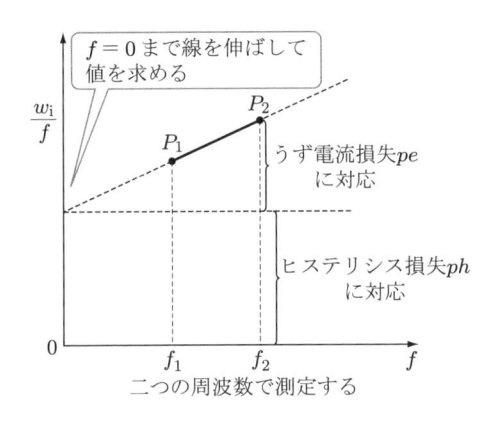

図 10.6 鉄損の分離

10.4 温度の測定法

　モーターの許容温度は，内部の絶縁システムから決定される．そのため，モーターの内部の絶縁システムの温度を直接測定するのが望ましいが，一般的には内部に温度センサは配置されていない．そのため，温度計を用いて外部から測定したり，抵抗法により間接的に温度を推定する．

　温度計法とは，モーターの外部に温度計を接触させて測定する方法である．棒状温度計または熱電対などの温度センサをモーターのフレームに固定する．固定するときには外気温や風の影響を少なくするため，パテなどで周囲と断熱して固定する．また，モーターの内部のコイルエンド，スロット内などにあらかじめ温度センサを埋め込んでおけば常時測定が可能である．

　抵抗法は，巻線の抵抗を測定することにより温度を測定する方法である．運転前に室温と平衡状態のときの抵抗値と周囲温度を測定し，運転終了直後の抵

抗値を測定し，運転中の抵抗値とする．巻線抵抗の温度係数を用いて温度を求める．第5章に示した式を温度 t を求める式に書き換えると次のようになる．

$$t = 234.5 \left(\frac{R_2}{R_1} - 1 \right) + t_1 \frac{R_2}{R_1} \quad [°\text{C}]$$

ここで，R_1 は運転前の抵抗，t_1 はそのときの温度，R_2 は運転終了後の抵抗である．

より正確に測定するには，図 10.7 に示すように時間とともに抵抗値を測定し，停止した瞬間の温度を外挿して求める方法がとられる．モーターの冷却法によっては，運転終了直後に温度がすぐに低下してしまったり，逆に回転による通風がなくなって温度が上昇するものがある．そのような場合，運転終了時のコイル抵抗がこの方法により推定できる．

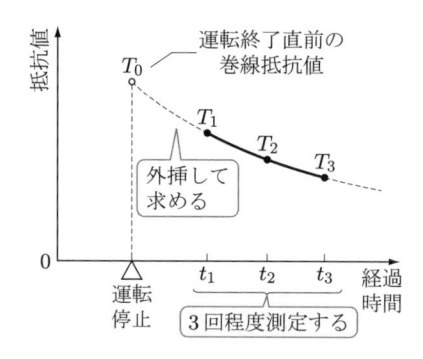

図 10.7 運転中の巻線抵抗の推定

温度により色が変化するサーモラベル，サーモペイントを使用すれば分解能は粗くなるが非接触で温度の測定が可能である．非可逆性（温度が下がっても元の色に戻らない）のサーモラベルを用いれば，到達した最高温度を測定することができる．回転子の温度計測には有効である．

10.5 絶縁の測定法

絶縁の測定は基本的には絶縁の良否を判定するものであり，数値評価は難しい．現在使用しているモーターの絶縁の良否を判定する場合は，測定によりモー

ターを損なわないような非破壊的な測定が必要である．しかし，製造時の検査，測定では不良品は破壊してしまう可能性があるような測定も行う．

■ 10.5.1　非破壊試験法

非破壊試験法とは，測定によりモーターの絶縁を損なうことなしに絶縁についての情報が得られる試験法である．この試験測定は，モーターに対しては非破壊的であるがインバータを破壊することがある．モーターの評価を行う場合は，必ず外部との回路接続を開放して行うことが必要である．非破壊試験は主に経年変化を評価するために行われる．

(1) 絶縁抵抗の測定

絶縁抵抗計（メガーと通称される）でコイルとケース間，またはコイルとアース間の抵抗を測定する．一般的には DC500 V を印加したときの絶縁抵抗値(単位は MΩ となる)および漏れ電流で評価する．モーターは電源回路から切り離して測定する必要がある．

(2) 直流高電圧印加

モーターの端子に直流の高電圧を印加すると流れる電流は，図 10.8 に示すように時間的に変化する．このうち初期に流れる変位電流は，絶縁物を理想的な静電容量と考えたときの形状で決まる静電容量を流れる瞬時の充電電流である．時定数をもって流れるのが吸収電流である．吸収電流とは，誘電分極により誘

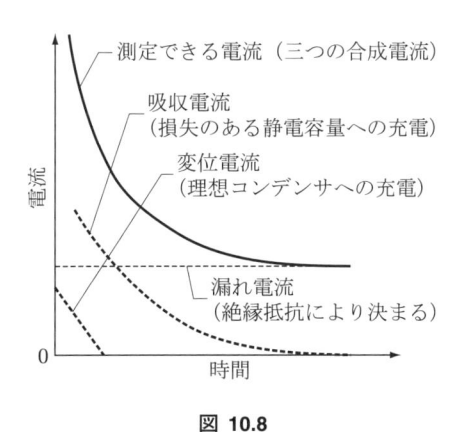

図 10.8

電損失をともなうので時定数をもって充電する成分の電流である．漏れ電流とは，絶縁抵抗により決まる直流分の電流である．このため，一般には直流印加1分後と10分後の電流を測定し，絶縁抵抗値とも併せて判断する．

(3) tan δ の測定

交流電圧を印加することにより誘電体損失角 tan δ を求める．tan δ は誘電体の状態を表すので，絶縁物の状態が過去の状態から変化したかどうかを見ることができる．

(4) 部分放電試験

部分放電試験は絶縁全体の平均的な測定ではなく，絶縁のボイド（欠陥）による局部的な状態が測定できる試験である．6.5.3項で述べたように，部分放電とは絶縁物の欠陥（空隙）がエアギャップとなり，空隙内部で火花放電する現象である．部分放電の評価は，部分放電開始電圧や放電パルスの発生頻度などでも可能であるが，一般的には放電電荷量（単位ピコクーロン）で行われる．

■ 10.5.2　破壊の可能性のある測定

測定電圧として高電圧を印加した場合，絶縁不良があった場合，モーターが完全に短絡して絶縁破壊してしまう可能性がある．しかし，製造時に絶縁の測定をする場合，あえてこのような測定を行う．

(1) 層間短絡試験（レイヤーテスト）

巻線されたコイルどうし（層間）の内部での絶縁状態を評価するために行う試験である．コイルにインパルス電圧を印加したときの電圧波形を観察する．層間短絡しているとインピーダンスが異なるので電圧波形が変化する．図10.9に示すように正常なコイルを参照用とし，被試験コイルとインパルス電圧波形を観察する．層間短絡（レイヤーショート）している場合，波形が変化するので二つの波形がずれる．これにより短絡を検出する．

(2) 絶縁耐力試験

各相のコイルを一括して交流高電圧を印加し，漏れ電流の値で評価する．一般的には，所定の電圧を1分間印加して異常がないことを評価基準とする．100 V機で1200 V，200 V機で1500 Vがよく使われるが，これは定格電圧を E としたとき，$2E + 1000$ V を一つの基準にしているためである．

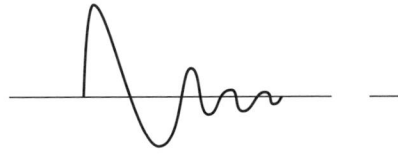

(a) 正常な場合．2本の
波形が重なっている

(b) レイヤーショートすると
2本の波形がずれている

図 10.9 レイヤーテストの波形

量産の場合，1分間は長いので電圧を高くして短時間で同等のストレスを与えるような方法が工夫されている．

11 モーターの解析法

近年，ディジタルエンジニアリング，CAEなどの導入により，設計段階でシミュレーションを行い性能を予測して設計を進めてゆくようになってきた．しかし，モーターにはなかなかこれが馴じまない．長年量産したシリーズ品であれば，いろいろな合わせ込みが可能で，計算による特性予測も結構精度よく合うと思う．しかし，新規な設計では予測した性能が試作で実現できないことがよく起こる．この原因は，モーターの性能が複雑な要因の組み合わせで決まることによる．モーターの性能はコイルの巻数と鉄心の形状などの電磁気的なパラメータだけでは決まらない．絶縁物や，コイルの立体的なレイアウトによって性能が変化してしまう．さらに鉄心を積層するときのプレス圧やワニス浸透の入り方で温度が変化してしまう．製造法により性能が変化するのである．とはいえ，モーターを解析し，シミュレーションすることは必要である．そこで本章ではモーターの解析法について述べ，モーターのシミュレーションについて考え方を理解してゆこうと思う．

11.1 等価回路による解析

電気機器理論で最初に出てくるのが等価回路による解析である．モーターを電圧，または電流が入力される2端子回路として扱い，電気回路として諸量を計算する．交流モーターの場合，電圧，電流はフェーザとして扱う．フェーザは正弦波量を平均値と考えて扱うベクトル量である．したがって，時間的な要素は含まず，定常状態しか扱えない．

11.1.1 誘導モーター

誘導モーターの等価回路を図 11.1 に示す．誘導モーターは変圧器の原理を使って回転子に誘導された起電力で2次電流を流す．変圧器の等価回路は負荷

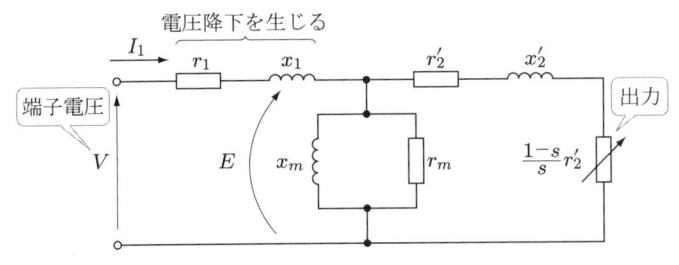

11.1 等価回路による解析

電圧降下を生じる

- V : 端子電圧
- E : 誘導起電力
- I_1 : 線電流
- x_m : 励磁リアクタンス
- r_m : 鉄損抵抗
- r_1 : 1次巻線抵抗
- x_1 : 1次漏れリアクタンス
- r_2' : 1次換算した2次抵抗
- x_2' : 1次換算した漏れリアクタンス
- s : すべり

図 11.1 誘導モーターの等価回路

を含んでいるので誘導モーターの等価回路にも負荷，すなわち出力が含まれている．

　等価回路を使って，電圧を与えるとすべりに応じて電流，入力，損失などの定常時の特性が計算できる．出力に相当する可変抵抗で消費する電力（ジュール熱）がモーターの出力として計算可能である．等価回路では回転子の回転はすべりにより表されている．

　誘導モーターの等価回路の優れている点は，等価回路に出力が含まれていることである．そのため，出力が変化すると，損失もそれに応じて変化する．さらに，すべりを変化させればすべての回転数での特性が計算できることである．すべりを1にすれば始動時の電流を求めることができるし，すべりをマイナスにすれば回生時の発電電力も計算できる．定常時の特性はすべて求めることができるのである．

　注意しなくてはいけないのは，等価回路には時間の要因が入っていないことである．時間的な変化は，等価回路ではすべりの変化として表すしかない．等価回路は電気回路であるから回路的な過渡現象は扱えるが，すべりを一定としたときの過渡現象しか扱えない．実際に発生する過渡現象により回転数が変わることは等価回路では表現できない．

11 モーターの解析法

■ 11.1.2 直流モーター

永久磁石界磁の直流モーターの等価回路は図 2.8 (p.13) に示した．この等価回路は出力を表す回路素子は含んでいない．端子電圧 V を与えると電流 I が流れる．端子電圧と電流の積が入力電力である．そこから損失を引いたものが出力であると考える．端子電圧のほかにモーターの回転数 ω を与えないと誘導起電力が決まらないのですべてを計算できない．起電力定数 K_E は回転数が一定のときの誘導起電力を表している．したがって，この等価回路は定常時の電圧電流の関係を示す等価回路であると考えるべきである．

電機子コイルの抵抗のほかに電機子コイルの漏れインダクタンス l_a も考慮した等価回路を図 11.2 に示す．この等価回路は電気的な過渡現象は扱える．つまりインダクタンスにより電流の立ち上がりが遅くなり，それによりトルクがすぐに立ち上がらないことが表現できる．一般的に電気的な過渡現象は機械的な現象より時間が 2～3 桁早い．電気的な過渡現象の間はモーターの回転数は変化しないと仮定することができる．このようにすれば，電気的に制御したときのモーターの過渡的な応答も表現することができる．

しかし，インダクタンスを追加した図 11.2 の回路でも回転数の変化や変動は表現できない．回転数 ω は外部から与える必要がある．

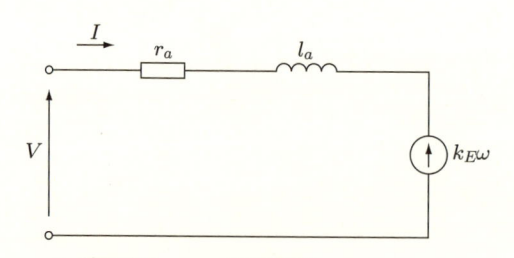

V：端子電圧　　r_a：電機子抵抗
I：電流　　l_a：電機子インダクタンス
$k_E\omega$：誘導起電力

図 11.2　直流モーターの等価回路

11.1.3 同期モーター

突極性のない円筒型の同期モーターの等価回路を図 11.3 に示す．直流モーターの等価回路とよく似ている．基本的に異なるのは，これが交流回路であるということである．電圧方程式は

$$\dot{V} = \dot{E}_0 + \dot{I}\dot{Z}_s$$

となる．しかし，交流回路なので実はこの電圧方程式だけではモーターの特性が計算できない．端子電圧 $\dot{V}$ と誘導起電力 $\dot{E}_0$ のなす内部相差角 δ，および電流 $\dot{I}$ と端子電圧 $\dot{V}$ のなす力率角を考慮する必要がある．同期モーターでは通常，内部相差角を用いて次の式で出力を求める．

$$P_0 = 3\frac{VE_0}{x_s}\sin\delta = P_I$$

つまり，等価回路だけでは出力を求めることができず，内部相差角を与えることが必要である．電流を求めるには，さらに力率角を与えることが必要である．したがって特性計算の場合，位相のわかるフェーザ図を用いる．

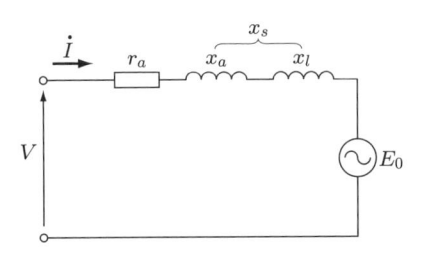

図 11.3 同期モーターの等価回路

以上のように等価回路を使ったモーターの解析は定常特性に限定すればかなりの計算は可能である．ただし等価回路は，モーターの回転は一定と仮定するか，あるいは回転を直接含むことなしに別の定数で表現している．そのため，モーターの本質である「回る」ということを直接的に表現できないのである．

11.2 空間ベクトルによる解析

空間ベクトルとは，電圧，電流などの諸量の瞬時値をある座標系におけるベクトル量として表す方法である．瞬時値なので時間的な変化を扱うことができる．モーターばかりでなく，パワーエレクトロニクスや制御の分野でも使われる方法である．

3相モーターの電圧を空間ベクトルとして扱いやすくするために3相量を2相量に変換し($\alpha\beta$変換)，さらに，座標系もモーターと一緒に回転させて，観測者も回転体と一緒に回転させて静止しているように変換する(dq変換)．

このような座標変換は行列を用いて行うので，線形代数の基礎知識が必要である．ここではいくつかの座標変換を結果だけ示してみよう．

3相の電圧は120°の位相差がある．これをe_a, e_b, e_cとして，2相の交流e_α, e_βに変換する．

$$\begin{bmatrix} e_\alpha \\ e_\beta \end{bmatrix} = \sqrt{\frac{2}{3}} \begin{bmatrix} 1 & -\frac{1}{2} & -\frac{1}{2} \\ 0 & \frac{\sqrt{3}}{2} & -\frac{\sqrt{3}}{2} \end{bmatrix} \begin{bmatrix} e_a \\ e_b \\ e_c \end{bmatrix}$$

この変換の前提には，ゼロ相分e_0がゼロであるという仮定が用いられている．

$$e_a + e_b + e_c = e_0 = 0$$

このように変換すると，e_α, e_βは$\alpha\beta$座標系において

$$e = \sqrt{e_\alpha^2 + e_\beta^2}\, e^{j\theta} = e_\alpha + je_\beta$$

と表されるベクトルとなる．これが$\alpha\beta$座標という空間における空間ベクトルである．なお，変換式の係数$\sqrt{2/3}$は変換しても電力が同一であるための係数である．このような電力不変の変換を絶対変換とよんでいる．

座標系が電源の角速度と同じく$\theta = \omega t$で回転しているとする．このとき，次のような変換を行う．

$$\begin{bmatrix} e_d \\ e_q \end{bmatrix} = \begin{bmatrix} \cos\theta & \sin\theta \\ -\sin\theta & \cos\theta \end{bmatrix} \begin{bmatrix} e_\alpha \\ e_\beta \end{bmatrix}$$

このように変換すると3相電圧の空間ベクトルは回転している座標系上の空間ベクトルとなる．つまり，直流として扱える．

このような空間ベクトルを用いた回路方程式により電圧ベクトル，電流ベクトルの関係を表すことができる．

$$[v] = [z][i]$$

このときのインピーダンス行列 $[z]$ は，それぞれのモーターにより異なる．

入力電力を求めるのにインピーダンス行列を使って次のように求める．

$$P_i = [i]^t[z][i]$$

ここで，t は転置行列を表す．

この式から銅損およびインダクタンスに蓄えられるエネルギーを除くと機械出力になる．機械出力 P_m は，相互インダクタンス行列 $[M]$ を使って次のように表される．

$$P_m = \frac{1}{2}[i]^t p([M])[i] = \frac{1}{2}[i]^t \dot{\theta}\frac{\partial}{\partial \theta}([M])[i] \quad [\text{W}]$$

ここで，p は微分演算子である．したがって，トルク τ は次のように表される．

$$\tau = \frac{1}{2}[i]^t \frac{\partial}{\partial \theta}([M])[i] \quad [\text{Nm}]$$

さらに，瞬時電力は次の式で表すことができる．

$$v \cdot i = \tau \cdot \omega$$

この式の右辺は機械エネルギーを運動方程式により表している．こうすれば，運動の変化と電気的な変化を一つの式で求めることができるのである．そのためには微分方程式を解いて，前回の解が次回の初期条件になるように時々刻々と解いてゆく必要がある．

このような空間ベクトルを用いることにより誘導機，同期機，直流機などすべての回転機を表すことのできる統一モデルを考えることができる．詳細は専門書に譲るが，次のように表すと各種のモーターの空間ベクトルによる統一的表現が可能である．

$$\begin{bmatrix} v_{sd} \\ v_{sq} \\ v_{rd} \\ v_{rq} \end{bmatrix} = \begin{bmatrix} R_s+pL_s & -\omega_s L_s & pM & -\omega_s M \\ \omega_s L_s & R_s+pL_s & \omega_s M & pM \\ pM & -(\omega_s-\omega_r)M & R_r+pL_r & -(\omega_s-\omega_r)L_s \\ (\omega_s-\omega_r)M & pM & (\omega_s-\omega_r)L_r & R_r+pL_r \end{bmatrix} \begin{bmatrix} i_{sd} \\ i_{sq} \\ i_{rd} \\ i_{rq} \end{bmatrix}$$

11 モーターの解析法

ここで，添え字 s は固定子，r は回転子，d，q はそれぞれ d，q 軸成分を示す．なお，p は微分演算子である．このモデルにおいて，$\omega_s = \omega_r$ とすれば同期機を表し，$\omega_s \neq \omega_r$ なら誘導機，$\omega_s = 0$ とすれば直流機を表す．なお，解析についての詳細は参考文献 (21) (22) を参照していただきたい．

11.3　サーボシステム

　サーボ制御とは，目標値が時々刻々と変化するような制御を指している．ここでは，サーボ制御を行うサーボシステムにモーターを組み込んで解析する場合について説明する．

　一般的なサーボシステムの制御ブロック図を図 11.4 に示す．ここに示したサーボシステムは機械に接続されたモーターの速度制御系を示している．ここではモーターのトルクを制御するためモーターに電流指令を与えている．このモーターのモデルは時間的な変化を扱える空間ベクトルを使ったモデルであればこのまま解析できる．モーターの発生するトルクは運動モデルにより負荷の動きに変換される．そのとき得られた回転数が指令値と等しくなるように制御するのがこの速度サーボシステムである．

　制御することには当然，時間の要素が入ってくる．したがって一般にはモーターの等価回路は用いることができない．しかし，簡単にモデル化するためにモーターの制御モデルに等価回路がよく使われる．このようなときには運動モデルで得られた回転数によりモーターのモデルの回転数に関する部分を変更す

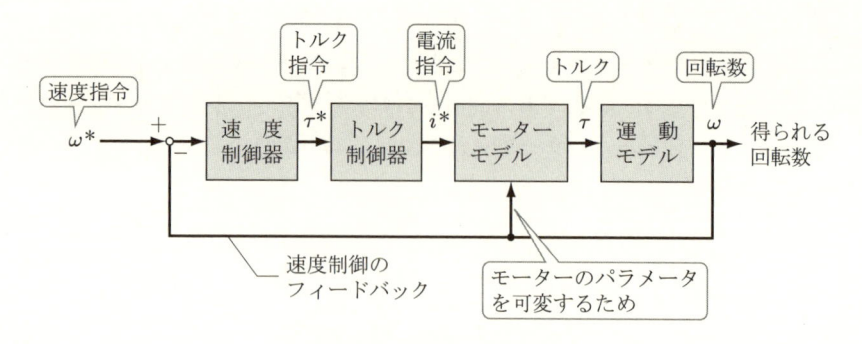

図 11.4　サーボシステム

るのである.

　機械の動きを制御する場合，モーターの電気的な過渡現象に比べて機械の動きは遅いのでモーターを理想的なモデルで考えられることが多い．つまりモーターのトルクを単純に

$$\tau = k_T I$$

と扱うことができる．

　しかしモーター駆動システムを高速で高精度に制御する場合，モーターの過渡現象によるトルクの変化やモーターが発生するトルクが均一でないことなどが表現できる制御モデルが必要になる．そのときには空間ベクトルを使うなどより詳細なモデルを使用する．

11.4　磁界解析

　以上述べた解析方法は，基本的にモーターのコイル抵抗やインダクタンスなどの電気回路定数モデルに用いている．実際のモーターでは，コイルの抵抗はコイルの太さや長さから決まる．コイルに実際に鎖交する磁束数からインダクタンスが決まる．つまり形状，配置から実際の定数が決まる．しかもそれらの値は常に一定ではなく，状態により変化する．

　そのため，モーターの内部や周囲の磁界の様子を解析により直接求めることが行われる．このような解析を電磁界解析あるいは磁界解析とよぶ．電磁界を解析するとは，その空間におけるマクスウェルの方程式を解くことになる．すなわち電磁界に関する微分方程式を正確に解くことになる．方程式を解析的に解く手法にはラプラス変換，ガラーキン法などがある．しかしながら，これらの方法で解を求めるためには形状が単純である必要がある．すなわち，形状の表面では媒質や状態が不連続になることを意味する．形状そのものが微分方程式での境界条件を与えることになってしまう．

　そのため，さまざまな数値的手法 (Numerical method) が用いられる．これらのうちモーターの解析によく用いられるものは有限要素法 (FEM) と磁気回路法である．このほか境界上の積分方程式を解く境界要素法 (BEM)，時間領域を扱う FDTD 法（時間領域差分法）などがある．

11 モーターの解析法

■ 11.4.1 磁気回路法

　磁気回路法はパーミアンス法ともよばれ，モーターを磁気回路として解析する方法である．解析の基本は磁気回路のオームの法則である次の式に基づく．

$$\phi = \frac{NI}{R_m}$$

ここで，R_m は磁気抵抗（リラクタンス）であり，パーミアンスの逆数である．電気回路のオームの法則は

$$I = \frac{E}{R_e}$$

であるから，磁束を電流に，起磁力を起電力に対応させれば磁気抵抗は電気抵抗に対応させることができ，磁気回路は電気回路と類似の取り扱いができる．

　磁気抵抗 R_m は

$$R_m = \frac{l_m}{A\mu}$$

で表される．ここで，l_m は磁路の長さ，A は磁路の断面積，μ は磁路の透磁率である．すなわち，磁路ごとに磁気抵抗が決定される．

　磁気回路法による解析の例を図 11.5 に基づき説明する．図（a）は永久磁石同期モーターの1極を示している．このとき，永久磁石の起磁力により生じる磁束は永久磁石−エアギャップ−回転子鉄心と周回する．また，回転子の電流による磁束も同じ磁路を周回する．これらを磁気回路で表すと図（b）のようになる．このように表された磁気回路は複雑であるが，回路網解析のさまざまな手法を用いればそのまま解析できる．あるいは，キルヒホッフの法則に基づき，直列回路，並列回路を合成して単純化する．この磁気回路を極力単純化すると図（c）のようになる．この式に基づき，電流と磁束を解析してゆくことができる．

　磁気回路法の一番の特徴は，計算が容易なことである．さらに，磁気飽和も扱うことができる．設計時の計算として各パラメータを変更したときの効果を確認するときに適している方法である．

11.4 磁界解析

（a）対象とするモーター

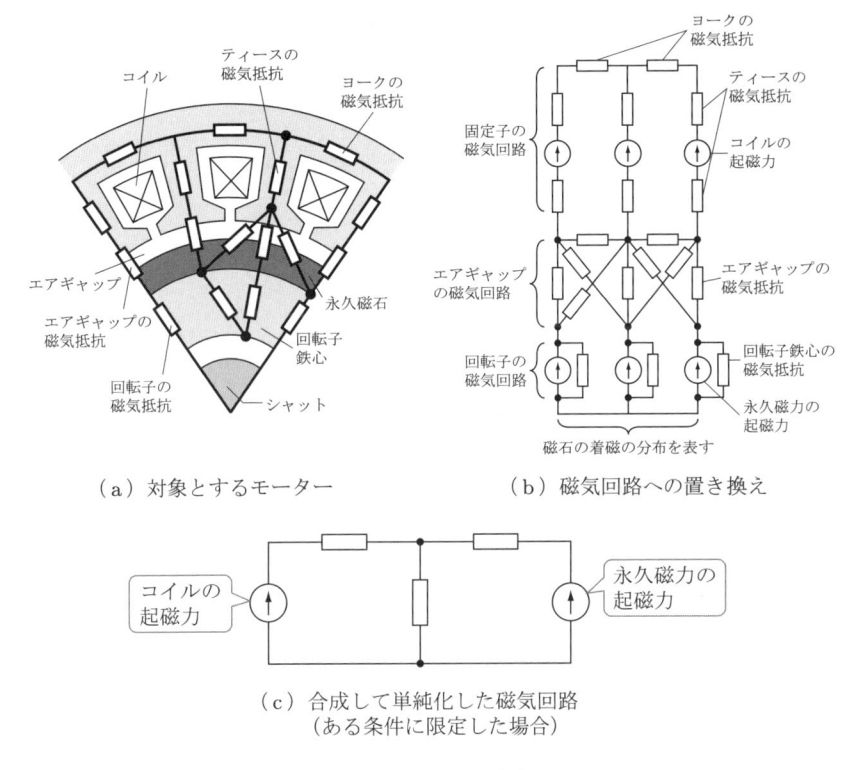

（b）磁気回路への置き換え

（c）合成して単純化した磁気回路
（ある条件に限定した場合）

図 11.5 磁気回路法

11.4.2 有限要素法

有限要素法 (Finite Element Method (FEM) または Finite Element Analysis (FEA)) はモーターの分野ではもっとも広く用いられている方法である．磁束の通る部分，通らない部分も含めて全領域を細かく分割する．分割した領域を要素とよぶ．それぞれの要素は均一な媒質として，その重心に諸量が存在すると考える．要素ごとに計算する．計算は隣の要素のみ考慮する．ベクトルポテンシャルを計算し，それから磁界を求める解析法である．

有限要素法の要素分割（メッシュという）の例を図 11.6 に示す．有限要素法で求めたベクトルポテンシャルの等高線は図 11.7 に示すように磁束の流れを示す磁束線図となる．

11 モーターの解析法

図 11.6 有限要素法のメッシュの例
（芝浦工業大学 下村昭二 教授 提供）

図 11.7 等ポテンシャル線―磁束線を示す
（芝浦工業大学 下村昭二 教授 提供）

　一般には有限要素法では，モーターそのもののほかに外部の空間も解析対象にする．それにより外部に漏れる磁束も求めることができる．モーターの解析には外部に漏れる磁束も必要なのである．また，磁気飽和による磁束の変化なども解析できる．瞬時の磁束がわかるのでインダクタンスも正確に求めることができる．得られた磁束分布からマクスウェルの応力を計算すればトルクも求めることができる．

　時間的な変動を入れた動磁界解析を行えば，うず電流を求めることができる．要素を移動させながら時々刻々と計算させれば回転も考慮できる．ただし，何でもできるが，計算量は莫大になる．

　有限要素法は熱伝導，強度解析などでも一般的な解析法である．したがって，同じ要素を使って磁界解析と同時に熱，応力などの有限要素解析が行える．これを連成解析という．熱による媒質の定数の変化や応力による変形を次々と取り入れて計算するのである．

　磁界解析によりモーターの解析は，ほとんどすべてが可能になるように思える．しかし，磁界解析では導体や絶縁物が電気磁気的には均一なものとして解析する．したがって，表皮効果による導体内部の電流の不均一や絶縁物中の電界の影響は扱えない．これらは電界までを考慮に入れて解析する必要がある．計算機能力が年々高まっており，今後はこのような解析も可能になるかもしれ

ない.

> 📦 COLUMN
>
> ### モーターはオームの法則に従わない
>
> 　オームの法則は電気の世界の基本中の基本です．みなさんは電気回路を考えるときにオームの法則は考えることなしに自然に使っていると思います．しかし，モーターに詳しい人にはオームの法則から外れた常識が身についているのです．
> 　いま，商用電源で駆動されている誘導モーターをトルク一定の負荷に接続して運転しているとしましょう．コンベアとかエアコンのコンプレッサとかを考えてください．回転速度が変わっても負荷トルクは一定です．図に誘導モーターのトルクと電流を示しています．
>
> 誘導モーターのトルク曲線
>
> 　図に示すように定格電圧で運転しているときには回転数は N_1 で，電流が I_1 だとします．電源電圧が低下すると，誘導機の発生するトルクは図のように全体的に低下します．図では電圧 70 % のトルクを示しています．負荷は回転数に関わらず同じトルクなので，すべりが増加します．したがって，回転数が N_2 に低下します．電流はオームの法則に従っているので，70 % 電圧では全体に低下して低くなっています．しかし，すべりが増えて回転数が N_2 に低下するので，その回転数での電流は I_2 になります．つまり，電圧が下がるとモーターの電流は増えるのです．オームの法則には従わないのです．

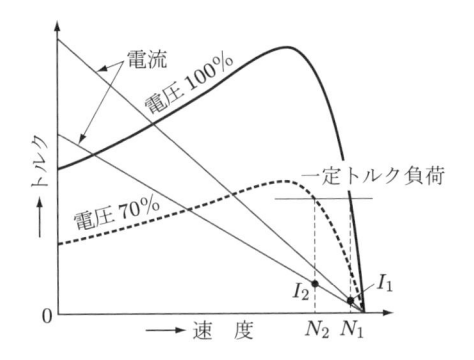

11 モーターの解析法

11.5 実際のシミュレーション

モーターのシミュレーションといっても，目的によって行うことはかなり異なる．シミュレーションの目的ごとに説明してみよう．

磁界解析をベースとする場合，モーター内部の詳細な磁束分布から瞬時のトルク，鉄損などが算出できる．瞬時の解析を繰り返せば時間的な経過も得ることができる．しかし，ある瞬時のための計算量が膨大なため，時間的な経過を得るには向いていない．ある瞬時とは固定子と回転子の位置関係，電流の位相，それらの組み合わせなどである．これらを時々刻々と対応するように変化させて計算する必要がある．

磁界解析は電流を与えて解析するのが基本である．電流制御されたモーターであれば電流を与えるという解析はなじみやすい．しかし，端子電圧を一定にして駆動するモーターも数多い．電圧を与える場合，電圧を何らかの形で電流に変換しないと起磁力 (NI) とならない．ほとんどのインバータは電圧型インバータであり，電圧をモーターに与える電圧源である．実際の条件と解析条件をうまく一致させる工夫が必要である．

磁界解析をリアルタイムで実行せず，オフラインで磁界解析を行うソフトがある．モーターの仕様を決定すると磁界解析を行い，その結果からモーターの諸パラメータを求める．求めたパラメータを使ってモーターの各種のシミュレーションを行う．パラメータの条件に変更があれば再度磁界解析を行う．パラメータとはインダクタンスや磁束密度である．この方法は，モーターの諸特性を短い計算時間で得ることができるので，制御との関係での設計仕様を決めるときなどに有効である．

制御系のシミュレータにモーターを組み込む場合，モーターの制御モデルが使われる．制御モデルをもっとも単純化する場合，モーターを

$$\tau = k_\tau I$$

として，単なる電流をトルクに変換する伝達関数と扱うことができる．つまり，電流値を決めれば，トルクとして機械システムの運動系に入力できる．この場合，モーターの動的な応答は機械システムの応答に比べ十分早く，無視できる

11.5 実際のシミュレーション

と考える．このような場合，モーターの内部の挙動を詳細に表現するモデルは不要である．

ここにモーターの等価回路を追加すれば，モーターの電源電圧を調節した結果としての電流の変化を求めることができる．一般的な電源電圧一定の条件でのシミュレーションが可能になる．等価回路にインダクタンスを追加すれば，電気的な過渡現象も考慮することができる．損失の変化を見たい場合，等価回路に銅損，鉄損を含ませればよい．

機械の運動制御系がモーターの過渡現象を無視できないような短時間で動く場合，つまり高速，高精度でわずかな動きが問題になる場合，モーターの瞬時の動きが無視できない．このような場合，モーターの制御モデルとして空間ベクトルモデルを使用することが必要になる．このような場合，インバータのスイッチングに応じてモーターがどのような動きをするかの解析をすることが多い．ベクトル制御，センサレス制御などにはこのようなシミュレーションモデルが使われる．

さらに，電流が変化したときのモーター内部の磁束の変化まで問題にする場合，磁界解析を組み込む必要がある．

以上のようにすべての場合に通用する，万能なシミュレータは存在しない．シミュレーションの目的に合わせて選択する必要がある．タグチメソッドなどでは，シミュレーションを活用して仕様決定をする．そのような場合，タグチメソッドで変化させる要因を解析できるシミュレータは要因ごとに異なると考えるべきである．

おわりに

　本書はモーターをものづくり的立場から見た，モーターのハードウェアに重点を置いた解説書である．著者としては，材料や製造法を知ったうえでモーターを扱ってほしいと主張したつもりである．執筆中に何度も思ったのが温故知新という言葉である．実用的なモーターの起源は 1887 年のテスラの誘導機の発明であるといわれている．それから 130 年たった現在でも，基本は変わっていない．材料が進歩し，解析法が進歩し，製造技術が進歩している．しかし，モーターの本質は変わっていないのである．執筆中には古い書物が大変参考になった．しかもモーターの技術は過去に検討された技術がある日突然よみがえるのである．つまり，常に温故知新なのである．

　本書ではあえて「モーター」という名称を使った．本文中にも書いたが，旧文部省が 1991 年に制定した学術用語集では「電動機」が正しい用語であり，「モータ」はカタカナ語の形容詞的使い方しか許されていない．たとえば「ステッピングモータ」は許されるが「誘導モータ」とはいえないのである．しかし，一般に通用しているのは「モーター」である．「モータ」のように最後の「ー」を省略するのは電気機械系のエンジニアが使う，いわば方言といってもいい．本書は専門家でない人にも読んでもらいたいので，「モーター」としたのである．

　モーターという言葉の語感が新しいからといって，モーターの技術はやはり先達の築いた技術が基本である．われわれのやっていることは，そこに現在のテクニックを添加することだけのような気がしてならない．今後もモーターの需要は増えると思われる．モーターの技術を進歩させることがさまざまな進歩につながり，人類の幸福の一助となるはずである．

　最後に，本書ばかりでなく先に出版した本書の姉妹書である『入門インバータ工学』とあわせて企画段階から筆者の相談に乗ってくださり，読者の立場から筆者の独走を抑え，また，あるときは叱咤激励していただいた森北出版の塚田真弓さんには大変お世話になりました．この場を借りて感謝とお礼の言葉を述べたいと思います．

　　2013 年 2 月　　　　　　　　　　　　　　　　　　　　　　森本　雅之

参考文献

　本書で参考にさせていただいた資料，文献のうち，本書に書かれていることをさらに深く知るため役立つであろうものを示している．本来，参考文献は入手可能なものを示すべきであるが，モーター工学の立場で価値のある参考書は絶版になったものが多い．ここではあえて，そのような出版物も含んで紹介している．

■ モーター設計
(1) 「大学課程 電機設計学」，竹内寿太郎原著，オーム社，(改訂2版 (1993))
(2) 「OHM文庫 単相誘導電動機とその応用」，石黒敏郎，坪島茂彦，オーム社 (1959) 絶版．
(3) 「Theory and Design of SMALL INDUCTION MOTORS」，Cyril Veinott, McGRAWHILL, (1959) 絶版．
(4) 「電気機械設計法」，磯部昭二，開発社（増訂6版）(1998) 絶版．
(5) "Design of blushless permanent-magnet machines", J.R. Hendershot, T.J.E. Miller, Motor Design Books (2010), （有）モーションシステムテック扱い．
(6) 「新・ブラシレスモータ」，見城尚志，永守重信，総合電子出版社 (2000)，版元切れ．
(7) 「電気機器論 設計思想と技術の変遷」，大木創，田中国昭，実教出版 (1984)，絶版．

■ 磁石関係
(8) 「永久磁石回転機」，大川光吉，総合電子出版社 (1982年) 絶版
(9) 「交直マグネットの設計と応用」，石黒敏郎，坪島茂彦，宮川澄夫，オーム社 (1952) 絶版．
(10) 「希土類永久磁石」，俵好夫，大橋健，森北出版 (1999)．

■ 電磁鋼板関係
(11) 「わかる電磁鋼板 新日本製鉄電磁鋼板技術部編」，Cat No. DE101 1998. 3版，新日本製鐵株式會社（非売品）

■ 絶縁材料
(12) 「電気機器絶縁の実際 新新版」磯部昭二 松延謙次，三井久安，開発社 版元切れ．
(13) 「電気絶縁材料技術」，トリケップス，(1993) 絶版．

■ 巻　線
(14)　「電機子の巻線（直流機編）」，清家正，パワー社 (1969 年，1991 年復刊).
(15)　「電機子の巻線（交流機編）」，安芸文武，パワー社 (1991).

■ モーターの使い方
(16)　「新版モータ活用マニュアル」，坪島茂彦，中村修照，オーム社 (1993)．絶版．
(17)　「わかりやすい小形モータの技術」，日立製作所総合教育センタ技術研修所編，オーム社．(2002).
(18)　「AC 小形モータがわかる本」，オリエンタルモーター（株）AC モータ技術研究会編，工業調査会 (1998)．絶版．
(19)　「電動モータドライブの基礎と応用」，百目鬼英雄，技術評論社 (2010)

■ 性能評価
(20)　「小形モータ」，電気学会精密小型電動機調査専門委員会，コロナ社 (1991)

■ 解　析
(21)　「基礎電気機器学」（電気学会大学講座）電気学会 (1984)
(22)　「現代電気機器理論」（電気学会大学講座）金東海 (2010)

索 引

欧数字

2層巻	121
AWG	88
MIケーブル	91
SWG	88

あ行

圧粉磁心	69
変圧器起電力	8
アモルファス合金	70
アルファ巻	119
アルミダイキャスト	68
アレニウスの式	111
異方性磁石	39
インサータ	130
インセットマグネット	48
インダクタンス	15
インバータ	14, 83
インピーダンスプロテクト	159
うず電流損失	55
打ち抜き	60
エッジワイズ巻	119
エナメル線	76

か行

可逆透磁率	55
かご形導体	24
重ね巻	124
かしめ	65
カシメ方式	66
含油軸受	140
キャスティング	102
キュリー温度	34
キュリー点	34
極ピッチ	116
空間ベクトル	189
くさび	96
クレージング現象	77
クーロンの法則	2
減磁	39
減磁界	30
コア	61
コイルエンド	115
コイルサイド	115
コイルピッチ	116
硬磁性材料	52
効率	1
固有振動数	146
転がり軸受	137
ころ軸受	138

さ行

最大エネルギー積	33
サージ	83
座標変換	188
サーモスタット	157
仕上がり外径	89
磁化	29
磁化曲線	31
磁気エネルギー	2
磁気回路	35

索 引

磁気回路法	191
磁気抵抗	24
軸電圧	166
ジャーナル軸受	140
初磁化透磁率	54
スタインメッツ定数	56
ステッピングモーター	21
すべり軸受	139
スラスト軸受	136
スリット	60
スロット絶縁	95
スロットピッチ	116
正規透磁率	54
静電エネルギー	2
静バランス	145
整流子	18
絶縁階級	97
絶縁耐力	182
絶縁抵抗	181
セラミック絶縁電線	91
ゼロ相CT	164
全節巻	116
センダスト	72
層間絶縁	96
層間短絡	182
速度起電力	8
塑性	75
ソフトフェライト	70

た行

ダストコア	71
ダブルコート線	79
玉軸受	138
弾性	75
短節係数	128
短節巻	116
着磁	38
着磁ヨーク	38
注型絶縁	101
直流モーター	12

鉄心トルク	10
鉄損	55, 154
電磁力	9
等価回路	185
同期モーター	13
透磁率	11, 52
銅損	154
動バランス	145
動力計	170
突極	27
突極集中巻	117
トルク検出器	169
トルク定数	13

な行

波巻	124
軟磁性材料	52
熱抵抗	161
ノッチング	62

は行

バイメタル	158
パルスモーター	22
パーマロイ	72
パーミアンス	36
パーミアンス係数	36
パーミアンス法	192
ハーメチックモーター	78
パーメンジュール	72
ばら線	103
パルス電流	38
ハルバッハ配列	39
パワーエレクトロニクス	3
ヒステリシス損失	55
微分透磁率	54
ヒュージング	87
漂遊損	154
ピンホール	77
フィラメントワインディング	48
フィルム	98

風損	154
フェライト	43
不可逆減磁	40
部分放電	112, 182
フライヤー方式	132
ブラシ	17
ブラシレスモーター	17
フレミングの左手の法則	9
フレミングの右手の法則	9
プロテクター	105
分子磁石	29
粉体塗装絶縁	101
分布係数	128
平角線	81
ボイド	112
方向性電磁鋼板	58
ポッティング	102
ホール素子	19
ボンド磁石	47

ま行

マクスウェル応力	10
無機繊維巻絶縁電線	91
無方向性電磁鋼板	57, 58
無溶剤形のワニス	108
メカニカルインピーダンス	147
モールド	101

や行

有限要素法	191
誘電体損失角 $\tan\delta$	182
誘導起電力	7
誘導モーター	23
溶剤形ワニス	107
横巻線	82

ら行

ラジアル軸受	136
リコイル透磁率	34, 54
リラクタンスモーター	24
リッツ線	82
リテンションリング	49
リラクタンストルク	16
レーザ切断	62
レーシング	102
漏えい磁界	168
漏電遮断器	164
ローレンツ力	9

わ行

ワイヤカット放電加工	62
ワニス	100

著者略歴

森本 雅之（もりもと・まさゆき）
　工学博士，電気学会フェロー
　1975 年　慶應義塾大学工学部電気工学科卒業
　1977 年　慶應義塾大学大学院修士課程修了
　1977 年〜2005 年　三菱重工業(株)勤務
　1994 年〜2004 年　名古屋工業大学非常勤講師
　2005 年〜2018 年　東海大学教授
　現在　　モリモトラボ代表

研究経歴
自動車用パワーエレクトロニクス，誘導モータ，リラクタンストルク応用モータなどの各種モータの研究開発，およびモータとパワーエレクトロニクスの産業応用．

編集担当　塚田真弓(森北出版)
編集責任　富井　晃(森北出版)
組　　版　プレイン
印　　刷　創栄図書印刷
製　　本　同

入門モーター工学　　　　　　　　　　　© 森本雅之　2013
2013 年 2 月 28 日　第 1 版第 1 刷発行　【本書の無断転載を禁ず】
2022 年 8 月 30 日　第 1 版第 5 刷発行

著　　者　森本雅之
発 行 者　森北博巳
発 行 所　森北出版株式会社
　　　　　東京都千代田区富士見 1-4-11（〒102-0071）
　　　　　電話 03-3265-8341 ／ FAX 03-3264-8709
　　　　　https://www.morikita.co.jp/
　　　　　日本書籍出版協会・自然科学書協会　会員
　　　　　JCOPY ＜(一社)出版者著作権管理機構　委託出版物＞

落丁・乱丁本はお取り替えいたします．

Printed in Japan ／ ISBN978-4-627-74351-9

MEMO

MEMO